Tentar al destino

Yvonne Lindsay

FAIR HAVEN BRANCH
182 GRAND AVENUE
NEW HAVEN, CT 06513

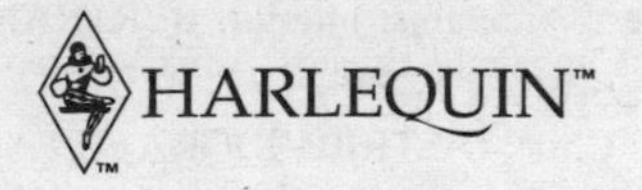

Editado por HARLEQUIN IBÉRICA, S.A.
Núñez de Balboa, 56
28001 Madrid

© 2007 Dolce Vita Trust. Todos los derechos reservados.
TENTAR AL DESTINO, N.º 1674 - 2.9.09
Título original: The CEO's Contract Bride
Publicada originalmente por Silhouette® Books

Todos los derechos están reservados incluidos los de reproducción, total o parcial. Esta edición ha sido publicada con permiso de Harlequin Enterprises II BV.
Todos los personajes de este libro son ficticios. Cualquier parecido con alguna persona, viva o muerta, es pura coincidencia.
® Harlequin, Harlequin Deseo y logotipo Harlequin son marcas registradas por Harlequin Books S.A
® y ™ son marcas registradas por Harlequin Enterprises Limited y sus filiales, utilizadas con licencia. Las marcas que lleven ® están registradas en la Oficina Española de Patentes y Marcas y en otros países.

I.S.B.N.: 978-84-671-7362-8
Depósito legal: B-28665-2009
Editor responsable: Luis Pugni
Preimpresión y fotomecánica: M.T. Color & Diseño, S.L.
C/. Colquide, 6 portal 2 - 3º H. 28230 Las Rozas (Madrid)
Impresión y encuadernación: LITOGRAFÍA ROSÉS, S.A.
C/. Energía, 11. 08850 Gavá (Barcelona)
Fecha impresion para Argentina: 1.3.10
Distribuidor exclusivo para España: LOGISTA
Distribuidor para México: CODIPLYRSA
Distribuidores para Argentina: interior, BERTRAN, S.A.C. Vélez Sársfield, 1950. Cap. Fed./ Buenos Aires y Gran Buenos Aires, VACCARO SÁNCHEZ y Cía, S.A.
Distribuidor para Chile: DISTRIBUIDORA ALFA, S.A.

Capítulo Uno

–Faltan seis semanas para que se acabe el plazo, amigo.

Declan Knight se reclinó en la silla de su despacho y torció el gesto mientras las palabras de su hermano menor sonaban al otro lado del teléfono. Le lanzó una mirada irritada a su Rolex. Sí, seis semanas. Podía contar los segundos que le quedaban para encontrar la financiación que necesitaba para llevar a cabo su proyecto.

–No me lo recuerdes –gruñó.

–Oye, no es culpa mía que mamá pusiera esa cláusula en su testamento para nuestro fideicomiso. Además, ¿quién iba a pensar que seguirías siendo uno de los solteros más codiciados de Nueva Zelanda?

Declan guardó silencio. Sintió la incomodidad de Connor al otro lado de la línea telefónica.

–¿Declan? –lo siento, amigo.

–Sí, ya lo sé –aseguró él a toda prisa antes de que su hermano pudiera decir nada más–. Me tengo que ir.

Tenía que huir de la realidad de no haber sido capaz de salvar a Renata, su prometida, cuando ella más lo necesitaba. Declan permitió durante unos instantes que su rostro apareciera en su recuerdo antes de esfumarse al lugar donde él guardaba el pasado bien cerrado, junto con la culpabilidad.

–¿Quieres salir esta noche a tomar una copa por los garitos de Auckland? –la voz de Connor lo devolvió a la realidad.

–Lo siento, tengo un compromiso anterior –Declan torció el gesto.

–Pues no pareces muy emocionado. ¿De qué se trata?

–La fiesta de despedida de Steve Crenshaw.

–¿Estás de broma? ¿Steve el lento?

–Ojalá estuviera de broma –el lápiz con el que Declan había estado jugueteando se partió por la mitad. Las dos piezas cayeron al suelo. Su aburrido y cauto director financiero iba a casarse con la única mujer en el mundo que suponía un recordatorio constante de su fracaso y de su mayor traición. Con la amiga más antigua y más querida de Renata, Gwen Jones.

–Tal vez deberías pedirle que te dé algunos trucos para encontrar mujer.

Declan sonrió sin ganas antes de despedirse de su hermano y colgar el teléfono. No le faltaban mujeres, precisamente, pero desde luego no quería casarse con ninguna de ellas. Era incapaz de prometer amor eterno a ninguna. Ya lo había hecho, ya había pasado por allí. Llevaría para siempre aquellas cicatrices. Perder a Renata había sido lo peor que le había sucedido en su vida. Nunca volvería a enfilar por aquel camino. Y no pensaba prometer nada que no fuera a cumplir. Aquél no era su estilo. Si no hubiera tenido su trabajo para poner en él toda su energía cuando Renata murió, habrían tenido que enterrarlo con ella. En cierto sentido estaba enterrado, pero aquélla era su decisión.

Declan se levantó de la silla y se dirigió a la ducha del viejo cuarto de baño del edificio Art Deco reconvertido, el que su padre había asegurado de que no conseguiría restaurar.

El edificio estaba en estado de ruina, y Declan se había hecho cargo del proyecto con avidez porque le proporcionaba la oportunidad de demostrar su talento para convertir edificios históricos en lugares prácticos de trabajo. Desarrollos Cavaliere había recorrido un largo camino desde que naciera ocho años atrás. Y todavía le quedaba mucha guerra que dar.

Mientras se quitaba la ropa de trabajo y la convertía en una bola con las manos, se preguntó por enésima vez si el proyecto Sellers no le quedaría demasiado grande. Comprar el edificio no era el problema, podía hacerlo sin que sus finanzas se resintieran. Pero convertirlo en apartamentos de lujo que recordaran la época en la que se construyó el edificio, para eso necesitaba mucho dinero. Un dinero que su junta de directores, ahora encabezada por su padre, nunca autorizaría.

Pero a Declan se le había ocurrido una manera de hacerlo, una manera que esquivaría cualquier obstáculo que pudiera ponerle la junta, y había vendido todo lo que poseía: su casa, las acciones de la empresa de su padre… todo excepto el coche y este edificio. Incluso se había mudado temporalmente con su otro hermano, Mason, para minimizar los gastos.

Pero sin el colchón de más fondos, su sueño quedaría aniquilado antes de que hubiera siquiera dado comienzo.

Declan se arrepintió una vez más de haber permitido que su padre se hiciera cargo de la junta de directores cuando Renata murió. En medio de su pena, había permitido que Tony Knight capitalizara la situación y se hiciera con el poder de lo único que todavía significaba algo para Declan. Desde entonces, el viejo había tenido la última palabra en casi todo. La junta nunca aprobaría un crédito de tanto dinero como el que necesitaba para llevar a cabo aquel proyecto.

Pero tenía que conseguirlo. Lograría el dinero para hacer realidad su sueño. Después volvería a retomar el poder de su propia empresa. Eso era lo único que le importaba ya, eso y asegurarse de que nunca volvería a abrirse ni sería tan débil como para perder de nuevo el control.

Gwen Jones cerró su teléfono móvil con gesto frustrado y tamborileó los dedos contra el volante de su coche. Si no podía detener la boda, perdería algo más que los depósitos, se quedaría sin casa también. Había sido idea de Steve hipotecarla, y ella había accedido a regañadientes con la condición de que sólo utilizaran los fondos justos para cubrir los gastos de la boda y alguna reforma de la villa de finales del siglo XIX. Pero Steve había retirado todos los fondos y había desaparecido. Gwen nunca sería capaz de cubrir sola los pagos y se vería obligada a vender el único hogar que había conocido.

¿Cómo podía haberle hecho eso Steve?

Gwen volvió a abrir el móvil y marcó los números con la esperanza de encontrar a su dama de honor y anfitriona de la celebración de aquella noche, Libby. Pero por sexta vez, se encontró con el contestador.

No tenía sentido dejar otro mensaje histérico. En Desarrollos Cavaliere tampoco contestaba nadie. Gwen se pasó la mano con impaciencia por el largo y rubio cabello y trató de ignorar la quemazón del estómago. Tenía que estar en dos sitios a la vez, pero, ¿cuál de los dos era más importante? ¿Cancelar la fiesta de despedida de solteros a la que habían invitado a más de cuarenta amigos y que empezaba en una hora, o decirle a Declan Knight que su director de finanzas y prometido de Gwen se había largado tras limpiar las cuentas de Desarrollos Cavaliere y la suya propia?

No había elección. Por mucho que le costara enfrentarse a él, tenía que hablar con Declan.

Cambió de dirección y avanzó otro medio metro, maldiciendo una vez más el atasco de la autopista del sur de Auckland que la tenía atrapada, pero trató de consolarse pensando que la salida de Penrose estaba cerca.

Para cuando aparcó el coche en la entrada de la sede de Desarrollos Cavaliere, el ardor de estómago se había intensificado. Gwen cerró la puerta de golpe y se dirigió hacia la entrada del edificio mientras sacaba un antiácido del bolso.

Declan Knight la odiaba, pero cuando supiera lo que Steve había hecho… confiaba en que no matara al mensajero. El estómago le dio un vuelco. Tenía que tranquilizarse. Aspiró con fuerza el aire antes de abrir la puerta que daba a la recepción.

–¿Hola? –Gwen esperó agarrando la correa del bolso con una mano y sujetándose el estómago con la otra.

No hubo respuesta. Pero Declan tenía que estar allí. Su inconfundible Jaguar estaba aparcado en uno de los laterales del edificio. Aquel coche era el accesorio perfecto para el hombre en el que se había convertido Declan Knight, el hombre al que, ahora lo sabía, Steve había envidiado con todo su corazón. El aura de éxito de Declan, su sonrisa maliciosa, el pelo largo y el cuerpo de modelo, lo convertían en un invitado seguro a todas las fiestas, a las que acudía cada vez con una mujer diferente.

Un tipo muy diferente al que Renata le había presentado emocionada hacía más de ocho años. Un tipo muy diferente al que, ciego por el dolor, la había buscado en los horribles días oscuros posteriores a la muerte de Renata y que luego, con el aroma de su pasión todavía flotando en el aire, la había acusado de seducirlo. La había borrado de su vida con la misma decisión con la que un cirujano extirpaba un tumor.

Gwen sintió un sabor amargo en la boca ante aquel recuerdo. Tragó saliva y dejó a un lado el pasado. Lo que habían hecho fue una traición absoluta a la memoria de Renata. Pensar en ello ahora no serviría de nada. Lo único que podía hacer era cumplir la promesa que había hecho mientras Renata cortaba la cuerda que amenazaba con arrojarlas a las dos a una muerte segura: cuidar de Declan, ya que no había sido capaz de cuidar de su querida amiga.

Gwen miró a su alrededor por la vacía zona de recepción. Estaba inusualmente tranquila para ser viernes. Pero por supuesto, todo el mundo iba camino de su fiesta. Todos excepto el novio. Tenía que terminar con aquello lo antes posible y luego hacerle saber a Libby que no iba a haber boda. Oh, Dios, aquella noche era una pesadilla total. Gwen agarró el bolso y se dirigió con decisión al pasillo que llevaba a los despachos.

–¿Hola? –dijo en voz alta–. ¿Hay alguien ahí?

Cuando llegó al final del pasillo, un chirrido penetró el aire. Parecía como si alguien estuviera limpiando un espejo con la mano. Gwen apoyó la oreja en la puerta más cercana. Volvió a escucharse el mismo y grimoso sonido. Un instante después, la puerta se abrió de golpe, haciéndole perder el equilibrio. Gwen fue a parar contra un muro de torso masculino desnudo. Dejó caer el bolso por el susto y alzó las manos para apoyarlas en el pecho desnudo. Sus sentidos se llenaron con un aroma ligeramente especiado de su piel húmeda, mareándola. Declan Knight. Recordaba su aroma y su tacto como si fuera ayer.

La mirada de Gwen se deslizó inconscientemente hacia sus musculosos contornos y contuvo la respiración. «Por favor, que no esté desnudo». Un suspiro de alivio le atravesó los labios al ver la toalla blanca que le colgaba de la cintura.

Haciendo un esfuerzo hercúleo, Gwen subió la vista y la deslizó por su bien desarrollado pectoral, el masculino cuello sobre el que brillaban unos mechones de cabello negro que le acariciaban los poderosos hombros, hasta llegar finalmente a toparse con sus fríos ojos del color de la obsidiana.

Declan seguía sujetándola, pero la soltó bruscamente, como si de pronto se hubiera dado cuenta de quién era.

–¿Qué diablos estás haciendo aquí?

Parecía como si Declan quisiera regresar derecho a la ducha después de haberla tocado. Las mejillas de Gwen se tiñeron de rosa y apretó los puños en gesto de frustración.

–Estoy bien, gracias por preguntar –dijo con ironía–. Necesito hablar contigo. Es importante.

–Ve a recepción y espérame allí. No tardo ni un minuto.

–Sí, por supuesto –Gwen agarró el bolso del suelo y regresó rápidamente a la zona de recepción con el corazón latiéndole con fuerza en el pecho. ¿Qué le estaba pasando? Tenía que calmarse.

Contó muy despacio hasta diez concentrándose en la respiración. Era una táctica muy sencilla y muy efectiva. La había perfeccionado cuando llegó a Nueva Zelanda con nueve años procedente de Italia. Su madre, que prefería vivir su vida de glamour sin una niña que la molestara, la había dejado allí abandonada con una estricta tía soltera.

–Steve no está aquí.

Gwen dio un respingo al escuchar su voz y se giró para enfrentarse a su penitencia. Se había secado el pelo con la toalla, y se había vestido tan rápidamente sin secarse que la exquisita camisa de algodón se le pegaba al cuerpo por la humedad como una segunda piel. Gwen hizo un esfuerzo por apartar la vista, estiró la espalda todo lo que pudo y alzó la barbilla para sostener su penetrante mirada.

A pesar de trabajar en lo mismo, se las habían arreglado para evitar cualquier contacto más allá del meramente social. Incluso en aquellos actos se las arreglaban con una inclinación de cabeza o alguna sonrisa forzada si había más gente delante. Mantenían las distancias. Una distancia que Declan parecía sin duda decidido a seguir manteniendo.

–Lo sé –dijo Gwen con una voz tan forzada que no parecía la suya.

–Entonces, ¿por qué estás aquí? ¿Se supone que éste es uno de esos momentos de enfrentarse al pasado antes de casarte?

–¡No! Oh, Dios, por supuesto que no.

¿Cómo se le podía pasar por la cabeza que ella quisiera volver a sacar ese tema? El humillante rechazo después de que ambos hubieran buscado consuelo el uno en el otro. Gwen no quería volver a cruzar aquella línea. Nunca.

Observó cómo Declan sacaba una corbata de seda de color brillante del bolsillo trasero de los pantalones y se la ponía al cuello. Gwen se aclaró la garganta al recordar lo diestros que podían llegar a ser aquellos dedos. Cómo ella estuvo absolutamente a su merced.

–Steve se ha ido –le espetó de golpe en un intento de liberar su mente de aquella nube de sensualidad que le cubría los pensamientos.

–¿Cómo que se ha ido? ¿De qué hablas? Se supone que todos debemos estar en vuestra fiesta dentro de... treinta minutos –confirmó Declan mirando el reloj–. Así que lo veremos allí. ¿Cuál es el problema?

–Steve se ha ido del país –las palabras le supieron a Gwen como carboncillo en la boca–. Se ha llevado todo nuestro dinero. El tuyo y el mío.

–Eso es ridículo –dijo él observándole el rostro en busca de respuestas–. Estás de broma, ¿verdad?

Gwen sacudió lentamente la cabeza. Las lágrimas amenazaban con salir y apretó con firmeza los labios, luchando contra la urgencia de dejarse llevar.

–¿Cuándo? ¿Cómo?

–Me dejó un mensaje en el móvil. Yo estaba trabajando en el valle de Clevedon, y allí no hay cobertura. Steve sabía que no lo oiría hasta que volviera. Para entonces ya era demasiado tarde para detenerlo.

–¿Me estás diciendo que te llamó para decirte esto? ¿Y por qué haría una cosa así?

Gwen recordó el satisfecho regodeo de Steve. Nunca olvidaría su tono de voz, el regocijo de saber que se había salido con la suya combinado con el hecho de que sabía desde el principio que hubo algo entre Declan y ella en el pasado. Había encontrado la manera de hacerles daño a los dos. Al hombre que deseaba ser y a la mujer que pensaba que Declan todavía deseaba. Pero se había equivocado.De cabo a rabo.

–¿Importa algo por qué lo hizo? El caso es que lo ha hecho. Nos ha desplumado a los dos –aseguró Gwen retorciendo la correa del bolso.

Declan maldijo entre dientes y encendió el ordenador que había en recepción. Deslizó los dedos por el teclado cargando la página de su banco, y se quedó paralizado al ver la realidad.

–Voy a matar a ese malnacido –dijo furioso en voz baja.

–Pues pide la vez y ponte a la cola. Sería mejor que llamaras a la policía. Si me disculpas, tengo una fiesta que parar y una boda que cancelar –Gwen se giró sobre los talones y salió por la puerta. En el fondo esperaba que Declan le diera un grito para que se detuviera. Que dijera algo. Pero no lo hizo.

Unos minutos más tarde, luchando por controlar la ira que se había apoderado de él, Declan colgó el teléfono después de haber hablado con la policía. En aquel momento no había mucho que se pudiera hacer. Acudiría a la comisaría a primera hora de la mañana. Tamborileó los dedos en el escritorio, pensando qué hacer a continuación. Steve Crenshaw había hecho él solito el movimiento que podía acabar con Desarrollos Cavaliere y dejar a todo el personal en la calle. Lo lógico sería informar a la junta de directores; sin duda la policía querría hablar con ellos también cuando formalizara la denuncia.

Declan dio un puñetazo en la mesa. ¡Maldición! Y pensar que había estado tan cerca del éxito, y ahora todo se venía bajo. Esa Gwen Jones había sido la portadora de la noticia. Qué ironía, pensó. Ella era el sinónimo de todo lo que le había salido mal en la vida durante los últimos ocho años. Eso le perturbaba mucho más de lo que estaba dispuesto a admitir. Mientras Steve presumía de su próxima boda, Declan había apartado la idea de imaginar las manos de otro hombre sobre la piel de alabastro de Gwen. Pero Declan no tenía ningún derecho sobre ella. Ni tampoco lo quería. Y sin embargo, su vulnerabilidad le dio de pleno en el pecho. Era tan víctima como él. Más, de hecho. Estaba a ocho días de casarse con aquel tipejo. ¿Qué decía eso de su gusto para los hombres?

Una idea le cruzó la periferia de la mente antes de cobrar vida. Era una locura siquiera considerarlo, pero tal vez por eso precisamente funcionara.

A pesar de todo, ayudaría a Gwen Jones. Y aunque no fuera consciente de ello en aquel momento, ella también lo iba a ayudar.

Gwen aparcó el coche en el aparcamiento del edificio de apartamentos de Libby y luego subió al ascensor para subir a su piso. El estómago volvió a dolerle cuando llegó. A juzgar por el ruido que se escuchaba al otro lado de la puerta, Libby no había tenido tiempo de cancelar la fiesta, si es que había escuchado el mensaje. Gwen apretó el timbre de la puerta y se retiró, aspirando con fuerza el aire.

–¡Gwen! ¿Dónde diablos te habías metido? –gritó la voz de Libby agarrándola del brazo y metiéndola dentro–. ¿Y dónde está Steve?

–Libby, ¿no has oído mi mensaje? Necesito hablar contigo. A solas.

–¿A solas? Lo siento, chica, pero aquí no hay intimidad –dijo señalando con la mano al numeroso grupo de invitados.

–No, Libby, lo digo en serio. Tenemos que hablar –agarró con fuerza la mano de su amiga, pero la otra mujer se zafó.

–Llaman otra vez a la puerta. Vuelvo en un minuto. Toma –Libby agarró una copa de champán de una bandeja que había en el mostrador y se la puso a Gwen en la mano–. Bébete esto mientras veo de quién se trata. Tal vez sea Steve.

Gwen alzó la mano para detener a su amiga, pero fue inútil. Libby estaba muy animada y nada la detendría. La gente se agolpaba a su alrededor. Muchos de ellos eran compañeros de Steve, y otros eran clientes de Gwen a los que les tenía respeto y cariño. Todos ellos eran ajenos a su torbellino emocional. El murmullo de las conversaciones la fue envolviendo hasta que sintió deseos de gritar.

–¡Eh, mirad todos quién ha venido! –gritó Libby para hacerse oír.

Todas las cabezas se giraron, incluida la de Gwen, cuando Declan entró en la habitación. Sus ojos escudriñaron el mar de cabezas y Gwen se apretó contra la pared, como si pudiera hacerse invisible fundiéndose con el papel pintado. Demasiado tarde. La había visto. Declan le dio un beso a Libby en la mejilla y se abrió camino por la estancia en su dirección. La gente se apartaba a su paso.

–Escuchadme todos, por favor.

La voz de Libby volvió a sonar alta y clara. El murmullo de voces se interrumpió y todas las cabezas se giraron.

–Uno de nuestros invitados de honor está por fin aquí. El otro está claro que llega tarde, pero mientras tanto me gustaría que todos alzarais las copas para brindar por mi gran amigo y nuestra futura novia.

Gwen sintió cómo la habitación se tambaleaba cuando escuchó el tintineo de las copas preparándose para el brindis.

Declan vio las líneas de terror dibujadas en el rostro de Gwen. El estómago le dio un vuelco. No había llegado tarde. Estaba claro que Libby no sabía de la traición de Steve. Todavía.

–¡Por Gwen! –gritaron las voces a su alrededor mientras múltiples tintineos de cristal se sucedían por la sala.

Declan observó cómo el poco color que le quedaba a Gwen en el rostro desaparecía, dejándola pálida como un fantasma. Se tambaleó levemente.

Se sintió atravesado por un instinto de protección. Se lanzó hacia delante, decidido a llegar a su lado antes de que se viniera abajo. Cuando le pasó el brazo por la cintura, un grito atravesó el aire.

–¿Y dónde está el afortunado, Gwen?

La tensión de su cuerpo se transfirió entera al de Declan cuando todos los ojos se giraron hacia Gwen, que en aquellos momentos no tenía en absoluto el aspecto de una novia radiante. El silencio que los rodeaba pendía del aire como un cohete a punto de ser lanzado.

Como si de pronto hubiera sido consciente de su presencia, se giró hacia Declan. Clavó los ojos en los suyos. La combinación de grises de los de Gwen reflejaba miedo y angustia.

Declan sintió una corriente de electricidad. Aquélla era la oportunidad. Con gesto decidido, deslizó la mano por los fríos y temblorosos dedos de Gwen. Se los llevó a los labios y le depositó un beso en los blancos nudillos.

Con los ojos clavados en los suyos, alzó la voz para que resonara por toda la estancia.

–Estoy aquí mismo.

Capítulo Dos

Con aquellas tres palabras cortas, Gwen se vio atrapada en una pesadilla que había adquirido proporciones gigantescas.

La gente abrió la boca en gesto de sorpresa, alzó las cejas y se quedó con la copa levantada. En medio de aquella escena surrealista, todos los ojos se giraron hacia aquel hombre alto de presencia imponente cuya respuesta imposible todavía reverberaba por el aire.

Un frío aterrador invadió el cuerpo de Gwen, que permaneció tan quieta como una estatua de mármol. Aquello no podía estar ocurriendo. A ella no. Podía salir de aquello, lo único que tenía que hacer era reírse como si todo se tratara de una broma. Aunque nunca había sentido menos deseos de reírse en toda su vida.

El fuerte y seguro brazo de Declan en su cintura le enviaba calor por todo el cuerpo. El sonido de unos únicos aplausos hizo que los ojos Gwen se giraran hacia su amiga Libby, que sonreía de oreja a oreja. Los demás invitados se fueron uniendo uno a uno a los aplausos hasta que los gritos de felicitación llenaron la sala. La gente se arremolinó en torno a ellos, todo el mundo quería felicitar a la «feliz» pareja. Gwen mantuvo una sonrisa empastada en la cara, dejando que Declan aguantara el chaparrón de preguntas.

En algún momento él le soltó la mano. Muy a su pesar, Gwen no pudo evitar sentirse perdida. Buscó a Libby y la encontró apoyada contra la pared del fondo con una sonrisa de oreja a oreja.

–¡Eres lo peor! ¡Cómo te has atrevido a no contármelo!

–Intenté hablar contigo cuando llegué. Pero Libby, esto no es lo que estás pensando…

–Da lo mismo, Gwen. Estoy encantada por ti, pero, ¿qué pasa con Steve? ¿Cómo se ha tomado la noticia?

–Él… yo…

–Se ha pedido una larga excedencia –interrumpió Declan haciendo su aparición–. Sentimos haberte soltado la noticia así, Libby. Queríamos habértelo contado antes, ¿verdad, cielo?

Los ojos de Declan la retaron, y eso, acompañado de la frialdad de su voz, la llevó a asentir antes de que él volviera a pasarle la mano por la cintura.

–A veces uno está completamente seguro de que va a salir bien –continuó Declan–. Además, nos conocemos desde hace años y ahora tenemos el resto de nuestras vidas para profundizar el uno en el otro, ¿verdad?

A Gwen se le secó la boca. Declan no podía estar hablando en serio. Ni siquiera podía soportar estar en la misma habitación que ella. Tragó saliva antes de hablar.

–Sí… sí.

Libby frunció ligeramente el entrecejo.

–¿Estás segura de lo que vas a hacer, Gwen?

–Sí –respondió ella dejando escapar un suspiro.

–No hemos estado más seguros de nada en toda nuestra vida –la voz de Declan resonó llena de confianza–. ¿Te importa si hablamos un momento a solas?

–Por supuesto que no. Entrad en mi dormitorio –ofreció Libby con generosidad.

–¡No! –la voz de Gwen salió disparada como una bala–. Quiero decir, estaremos bien en el balcón.

Lo último que necesitaba era estar en un dormitorio con Declan Knight. Se libró de su brazo y se tambaleó ligeramente al girar sobre sus talones sobre las sandalias de tacón. Una mano fuerte en el hombro la estabilizó. ¿Por qué tenía que estar constantemente tocándola?

–¿Estás bien? –Declan pasó por delante de ella y abrió la puerta de cristal que daba al balcón.

–Sí. O lo estaré cuando me digas qué está pasando.

Gwen se dio la vuelta y trató de ignorar el brillo de desafío de los ojos de Declan. Él cerró la puerta tras ellos.

–¿Qué quieres aclarar primero? –Declan cruzó los brazos sobre su amplio pecho y se apoyó contra la balaustrada del balcón.

–Para empezar, lo de nuestro «compromiso». ¿A qué diablos estás jugando? No quiero casarme contigo y no me cabe ninguna duda de que tú tampoco quieres casarte conmigo.

–Tienes razón. Pero tal y como yo lo veo, es la solución perfecta a nuestros problemas.

–No seas ridículo. ¿Qué diablos podría solucionar nuestro matrimonio? Apenas nos hemos dirigido la palabra desde que Renata murió.

No, hablar no. Pero habían hecho mucho más.

–Esto no tiene nada que ver con Renata –le espetó. Gwen sintió cómo apretaba las mandíbulas por la tensión–. Sonríe. Todo el mundo puede vernos desde dentro y acabamos de anunciar nuestro compromiso. Esperan que estés feliz, no como si tuvieras ganas de arrojarme por el balcón.

–No me tientes –respondió ella con voz baja y enfadada. La idea le pareció apetecible, pero en lugar de ver a Declan cayendo por el balcón sólo consiguió ver la imagen del cuerpo de Renata despeñándose delante de ella en la montaña que había estado a punto de enviarlas a las dos a la tumba. Gwen apretó los labios en algo parecido a una sonrisa.

–Eso está mejor –la voz de Declan atravesó el aire oscuro de la noche–. Ahora acércate y rodéame con tus brazos.

–Ni hablar –un estremecimiento le recorrió la espina dorsal, provocándole cosquilleos.

–Entonces me acercaré yo.

Antes de que Gwen pudiera protestar, Declan acortó la breve distancia que los separaba, colocó las manos inertes de Gwen alrededor de su cintura y la abrazó.

–¿Ves como no duele?

¿Doler? Tal vez no en un sentido físico, pero sentía un dolor interior que había sido su constante compañero desde hacía más tiempo del que quería reconocer. Un dolor sin consuelo que había tardado ocho años en aprender a ignorar. Maldito fuera Declan por reabrirle la herida.

–¿Ya estás contento? –las palabras le surgieron de los labios con amargura.

–No mucho. Esto es de cara a la galería. Si queremos que esto funcione, tenemos que tomárnoslo en serio.

–¿Funcionar? Ni siquiera he accedido a esta farsa, por si no te has dado cuenta. Se supone que estoy prometida a Steve –le espetó.

–Supongo que eso es discutible, teniendo en cuenta que te ha abandonado para que te enfrentes a la boda sin él. Además, no creo que te haya dejado el corazón destrozado. Estás enfadada con él, eso seguro. Pero, ¿dolida? Lo dudo.

Gwen se estremeció cuando la verdad de aquellas palabras la atravesó. Sí. Steve la había abandonado, pero Declan tenía razón y eso era lo peor. Con Steve se creía a salvo. Después de todo, ¿no era eso lo que le había atraído de él en un principio? Ninguna emoción salvaje. Nada de declaraciones de pasión arrebatada. Era un hombre predecible. Un hombre que podría ser un buen padre y un compañero en el que apoyarse.

Gwen reunió la poca dignidad que le quedaba.

–Mira, le diré a Libby la verdad cuando todo el mundo se haya ido. Ella me ayudará a hacer las llamadas pertinentes y cancelar la boda. Iba a ser una ceremonia casi íntima, no nos llevará mucho.

Sintió una opresión en el pecho. ¿Qué diablos iba a hacer entonces? Gracias a Steve, no tenía suficiente dinero en la cuenta para comprar ni provisiones, y mucho menos para hacer frente a la hipoteca que pesaba sobre la casa que había pertenecido a su familia durante generaciones. Sintió náuseas. Iba a perder su casa, su único bastión seguro desde el día que su madre se había desprendido de ella como si fuera un complemento pasado de moda.

Declan interrumpió sus míseros pensamientos.

–No la canceles.

Gwen hizo un esfuerzo por reunir el coraje que necesitaba para responderle.

–Dame una buena razón por la que deba fingir que estoy prometida a ti.

–No hay nada que fingir. Vamos a casarnos en la fecha de boda que tenías prevista.

–¿Te has dado un golpe en la cabeza o algo así?

Gwen se inclinó ligeramente hacia atrás, ignorando deliberadamente el contacto de sus caderas contra la parte inferior del cuerpo de Declan, y lo miró a los ojos.

–No voy a casarme contigo por nada del mundo.

–Sí lo harás. Mira, desde luego no es mi solución ideal tampoco, pero ahora mismo es la única manera de conseguir que recuperes tu dinero. Puedo hacerlo si soy tu marido.

Gwen se quedó sin palabras.

–Tal como yo lo veo –continuó Declan–, a los dos nos beneficiaría esa boda.

–No...

–Escúchame. Cuando demos con Crenshaw, yo encontraré la manera de recuperar el dinero, de eso puedes estar segura. Pero mientras tanto lo que ha hecho me coloca en una posición muy difícil. ¿Has oído hablar del traspaso del Sellers?

Gwen asintió. Había oído hablar mucho de ello. Esperaba ansiosa el resultado del traspaso del hotel Art Deco con la esperanza de que lo reformaran manteniendo su distintivo histórico. Entonces ella podría hacer su propia propuesta para subcontratarse a la exitosa empresa. Con su experiencia en restauración de muebles antiguos y su habilidad para encontrar los materiales requeridos para redecorar la época histórica de los edificios en los que trabajaba, Gwen estaba muy demandada. Pero un contrato como el del hotel Sellers la lanzaría a otra esfera.

–He hecho una oferta para comprar la propiedad, pero tendré que retirarme de la puja a menos que tenga dinero para hacerme cargo de la reforma. Tengo ese dinero a mi disposición, pero la única manera en la que podría acceder a él es casándome. Y ahí es donde entras tú –Declan acercó la cabeza a la suya y la miró a los ojos. La lógica le decía a Gwen que debía apartarse de él y denunciar su idea absurda como el fraude que era. Y también conseguir que el corazón dejara de latirle con tanta fuerza al sentirlo cerca.

–¿Tienes que casarte? Eso es muy arcaico –protestó Gwen.

–Las cosas son así. Mi madre era muy tradicional y quería ver a todos sus hijos asentados antes de que tuviéramos acceso a nuestro fideicomiso.

Un fideicomiso al que ya habría tenido acceso si Gwen no hubiera dejado que Renata la convenciera para escalar aquella pared de roca que era demasiado difícil para la experiencia de Gwen. Pero no podía permitir que la culpa que sentía por la muerte de Renata la llevara a cometer otro error.

–¿Y qué gano yo con esto? Por lo que veo, tú eres el único que se beneficia. Además, uno no se casa para tener acceso a un fideicomiso, por el amor de Dios. No, es algo demasiado importante. No puedo... no lo haré.

–Te repondré el dinero que te ha robado Steve.

Gwen le quitó los brazos y se alejó todo lo que pudo de él. Declan sintió la ausencia de su cuerpo contra el suyo. Por mucho que intentara negarlo, se ajustaban bien el uno al otro. Demasiado bien. Observó el rostro de Gwen en la oscuridad del anochecer.

–Vamos, Gwen, ¿qué me dices?

–No quiero hacer esto.

–Ya no se trata de lo que nosotros queramos hacer, Crenshaw se ha ocupado de ello. Tenemos que tomar una decisión, Gwen. Esta misma noche.

–¿Por qué tenemos que hacer todo esto? ¿Por qué no podemos simplemente pedir un crédito?

–Porque no me lo concederían.

–No seas ridículo. Desarrollos Cavaliere es una de las empresas más exitosas y de mayor crecimiento del sector. Eso lo se hasta yo.

Declan apretó los puños. Tenía que convencer a Gwen, y la única manera de hacerlo era contándole la verdad por mucho que doliera.

–Cuando Renata murió tuve que trabajar sin parar, sin parar nunca. No tenía el capital necesario entonces para expandirme como quería, ni tampoco quería pararme a pensar mucho. Sólo quería estar tan cansado al final del día que no pudiera pensar en nada.

Declan se frotó los ojos. El dolor de aquella época seguía tan presente como el recuerdo del día que enterró a Renata. Aspiró con fuerza el aire y continuó.

–Mi padre hizo su aparición, se ofreció a actuar como aval y ayudarme a llevar los asuntos administrativos si yo le ofrecía un puesto en la junta con derecho a voto. Se suponía que sólo debía ser durante un tiempo.

–No lo entiendo. ¿Qué tiene que ver eso con que tu empresa no consiga el contrato? –la pregunta de Gwen quedó suspendida en el aire.

–Porque mi padre ya ha dejado claro que vetará cualquier inyección de fondos para un proyecto de esa envergadura. Le gusta controlar a la gente. Le gusta pensar que puede controlarme a mí.

–¿Y si tienes el fideicomiso? –preguntó Gwen.

–Puedo financiar el proyecto entero yo solo.

–Ya veo. Y supongo que ese proyecto implicará muchos puestos de trabajo.

–Sí.

Gwen se encorvó como si hubiera exhalado todo el aire de los pulmones.

–De acuerdo –su respuesta cortó el aire de la noche.

–¿Lo harás? –Declan sintió una punzada de esperanza en el pecho.

–Sí, pero sólo bajo ciertas condiciones.

–¿Qué clase de condiciones?

Gwen volvió a cruzar todo el balcón antes de detenerse delante de él.

–Me contratarás para trabajar en el edificio Sellers durante toda la reforma.

Podría soportarlo. De hecho, estaba satisfecho con el trato. Gwen se había hecho un nombre en la decoración de interiores, y su talento beneficiaría la operación. Por mucho que le desagradara Gwen, era un hombre de negocios y sabía reconocer una oportunidad cuando la veía.

–Trato hecho. Mañana ultimaremos los detalles de tu contrato con Connor y lo dejaremos todo legalmente atado. No te preocupes porque él lo sepa, mantendrá nuestro trato en secreto. ¿Algo más?

–Nada de sexo.

Declan alzó una ceja.

–¿Te refieres a sexo con otras personas o entre nosotros?

–Con nadie. Lo digo en serio –reiteró con firmeza cruzándose de brazos–. Nada de sexo. No quiero quedar como una estúpida. Si este matrimonio tiene que parecer real, entonces no podrás salir con nadie.

Bueno, también podría vivir con eso. De hecho estaba encantado con vivir con eso. La única vez que… no, no se atrevía ni a pensarlo. Era más que suficiente con que Gwen hubiera accedido a llevar a cabo aquella locura.

–Por mí está bien. Pero tenemos que parecer una pareja casada cuando estemos con la gente, estar cómodos juntos, ya sabes… físicamente. Sobre todo con el resto de la familia. Seguramente acepten este súbito compromiso, pero mi padre puede sospechar algo si no nos comportamos como una pareja de recién casados. Y en ese caso puedo despedirme del fideicomiso.

–¿Y no nos harán preguntas?

–Seguramente, pero eso es problema mío. Yo lo manejaré –suspiró–. ¿Algo más?

–En cuanto a las condiciones financieras del contrato…

Declan ya había tenido suficiente.

–Te compensarán por todo. Te lo prometo.

–Más vale que sea así –los ojos de Gwen eran dos lagos opacos y vacíos. ¿Qué estaría pasando por su cabeza?

–Entonces, ¿trato hecho? –Declan tenía que asegurarse de que no iba a echarse atrás.

–Una cosa más. Se trata de la duración de nuestro matrimonio. Tres meses máximos.

–¿Tres meses? ¡Eso es ridículo! Que sean doce, o mi padre olerá que hay gato encerrado.

–Eso es demasiado. Vamos a dejarlo en seis.

Declan se lo pensó unos instantes. Era muy justo, pero serviría. Asintió con brusquedad.

Gwen extendió la mano y él se la estrechó, consciente de que era la primera vez que lo tocaba voluntariamente, al menos aquella noche. Las risas del interior se filtraban a través del cristal de la puerta, recordándoles que estaban a plena vista de los invitados a la fiesta. Declan le giró levemente la mano y notó las venas azules bajo la piel pálida de su muñeca. Se inclinó hacia delante y se la llevó a los labios, presionándolos sobre la piel satinada donde su pulso latía frenéticamente como una mariposa atrapada. Sin duda no era tan fría como estaba intentando demostrar.

–Es para guardar las apariencias –dijo sonriendo cuando ella retiró la mano como si su contacto le hubiera quemado–. Gracias, Gwen. No te arrepentirás.

–¿Arrepentirme? –Gwen soltó una carcajada amarga mientras se giraba para entrar–. Ya estoy arrepentida.

Capítulo Tres

–Vaya, esto sí ha sido un giro interesante de los acontecimientos.

Libby le habló por detrás, y su voz hizo que Gwen diera un respingo.

–No te burles, Libby. No es muy amable por tu parte.

–Vamos, dime, ¿cuánto tiempo lleva pasando esto? –le preguntó su amiga guiñándole el ojo.

–No mucho. Digamos que a los dos nos pilló un poco por sorpresa –Gwen apretó los puños a los costados con la esperanza de que Libby no siguiera presionándola. Por el rabillo del ojo vio a Declan entrar en la sala. Sin hacer ningún esfuerzo, su presencia dominaba la reunión.

A pesar del modo en que la había tratado desde la muerte de Renata, la mirada de Gwen se dirigía siempre a él como si ella fuera de metal y Declan un imán. El tacto de sus labios todavía le latía en la muñeca. Por desgracia, le estaba costando mucho conseguir que el latido de su corazón recuperara un ritmo regular. No podía creerse que hubiera accedido a llevar adelante aquel plan. No hacía falta ser científico nuclear para saber que no iba a funcionar. Todavía había muchas cosas que se interponían entre ellos.

Libby dejó escapar un silbido.

–Él puede venir a pillarme por sorpresa cualquier día de la semana. ¡No pondré ninguna objeción!

Gwen forzó una carcajada, aunque malditas las ganas que tenía de reírse.

–¿Sabes? Nunca te hubiera considerado su tipo –continuó Libby.

Gwen sintió una punzada inesperada. ¿Acaso su amiga pensaba que no estaba a la altura?

–¿De veras? –preguntó con voz glacial.

El rostro de Libby era la imagen del remordimiento al darse cuenta de cómo había sonado.

–Oh, Gwen, lo siento. No quería que sonara así. Pero tú sabes que en estos últimos años no le ha faltado compañía femenina.

–No pasa nada.

Pero en el fondo las palabras de Libby le habían calado hondo. Gwen había sido siempre la antítesis de Renata, fría y controlada mientas que su amiga era fuego total y completamente impredecible. Desde aquella noche espantosa, tras el funeral de Renata, Declan había dejado claro que la quería fuera de su vida. Cuando fue pasando el tiempo, Declan se rodeó de admiradoras femeninas de todas las edades y todas dispuestas a casarse con él. Entonces, ¿por qué pedírselo a ella cuando debía tener un harén de candidatas dispuestas a ayudarlo a acceder a su fideicomiso? A menos que fuera porque sabía que nunca cometería el error de enamorarse de ella. Aquella idea hizo que se sintiera todavía peor.

–¿Te encuentras bien, Gwen? Pareces agotada.

–Ha sido un día muy duro. Estaré mejor tras una buena noche de sueño –Gwen cruzó los dedos con la esperanza de que fuera [illegible] simple–. Creo que será mejor que me vaya. Gracias por todo.

–Yo te llevaré a casa.

Las dos mujeres se giraron al escuchar la voz de Declan. Antes de que Gwen pudiera objetar, se despidieron y la firme y cálida presión de su mano en la espalda la llevó hacia la puerta y después hacia el ascensor. En cuanto llegó, Gwen se subió, distanciándose del calor que emanaba el cuerpo de Declan. Tras una noche tan terrible, hubiera sido tan fácil sencillamente apoyarse en su fuerza... pero Gwen había aprendido la lección, y de forma dura. No podía apoyarse en ningún hombre, y menos que nadie en Declan Knight.

–He venido en mi coche –dijo Gwen apartándose de la fila de botones del ascensor y permitiendo que él apretara el correspondiente–. Puedo ir a casa sola.

–Lo recogeremos mañana. Además, eres mi prometida. La gente se preguntaría por qué no hemos ido a casa juntos, especialmente esta noche –su tono era ligeramente burlón, pero eso no sirvió para relajarla.

Cuando llegaron a la planta baja, Gwen salió del ascensor con ansia para limpiarse los pulmones de la sutil y al mismo tiempo embriagadora fragancia que llevaba. Un aroma que le hacía desear hundir el rostro en la base de su cuello y aspirar con fuerza. Acariciarle con la punta de la lengua para ver si sabía tan bien como olía... tan bien como ella recordaba.

–¿Dónde has aparcado? –preguntó. Su voz resonó por el portal.

–En el garaje.

–Entonces, [illegible]qué le has dado al botón del portal? –Gwen [illegible]giró para volver a entrar en el ascensor.

Declan [illegible], pasó un brazo por los hombros y la dirigió hacia la puerta principal.

–Pensé que nos vendría bien a los dos dar un paseo por la playa.

–Es tarde –protestó ella.

–Sí, lo sé, y necesitas descansar. Pero necesitas más soltar presión. Vamos, sólo nos llevará unos minutos. Tómatelo como un entrenamiento para cuando nos encontremos con el resto de la familia.

Gwen permitió que la guiara por el sendero hasta el otro lado. Cuando llegaron a la playa, se agachó para quitarse los zapatos y al instante se arrepintió de haberlo hecho. Declan era mucho más alta que ella. Se sintió pequeña. Femenina. Vulnerable.

A pesar de la actividad que había en el paseo marítimo, estaban solos en la playa. Una situación demasiado íntima. Gwen se acercó al borde del mar y permitió que la espuma transparente le mojara los pies. Una brisa cálida le acariciaba el cabello, alborotándole los largos mechones.

–¿Qué te hace pensar que esto va a funcionar? –preguntó.

–Funcionará. Tiene que funcionar.

La firmeza de su tono de voz resultaba sobrecogedora. Declan tenía razón. A pesar del pasado, tenían que conseguir que funcionara. Pero, ¿a qué precio? Una ola amenazó con empaparlos a ambos. Declan la apartó sin esfuerzo. Otra vez aquella sensación. Femenina. Vulnerable.

Gwen dejó escapar un suspiro involuntario cuando sus senos se apretaron suavemente contra el pecho de Declan y deseó, irracionalmente, estar más cerca. Sin darse cuenta, su cuerpo se fundió con la dureza del suyo, amoldándose a cada rincón como si perteneciera allí, aunque no había nada más lejos de la realidad. Declan la agarró de los antebrazos y la apartó de sí.

–¿Estás bien? –la voz le sonó como un estruendo en su garganta.

–Sí, gracias –Gwen estaba casi sin aliento, y una cálida marea de sangre se le había subido a las mejillas ante la sensación de su cuerpo firme contra sus suaves curvas. El cuerpo de Declan se había amoldado al suyo como si nunca se hubieran separado, como si nunca hubieran traicionado la memoria de Renata, como si fueran ellos, y no Renata y Declan, los que estaban hechos el uno para el otro.

Gwen se dio la vuelta y caminó con cuidado sobre la suave arena. Quería poner cierta distancia con él y con los tristes recuerdos que evocaba.

Declan se quitó la chaqueta, se la colgó de un hombro y caminó en silencio a su lado.

–Vamos a casarnos por los motivos adecuados –su voz retumbó en el aire de la noche.

–¿Los motivos adecuados? –Gwen estaba asombrada. Para ella, buenos motivos eran el amor, el honor y el respeto. Pero, ¿acaso tenía aquellos tres conceptos en mente cuando accedió a casarse con Steve? No. Seguridad, tranquilidad y monotonía. Eso era lo que buscaba, y mira dónde le había llevado. Soltó una carcajada irónica–. ¿Te importaría enumerarlos?

–Uno de ellos es el respeto.

Gwen alzó las cejas al escucharle verbalizar la única palabra que sin duda nunca podría describir su relación.

–¿Respeto? ¿Después de...? No, lo siento, tendrás que esforzarte más. ¿Cómo puedes decir que nos tenemos respeto?

–Respeto tu integridad profesional. Y eso es lo que importa aquí. En cuanto al resto, sabemos perfectamente dónde pisamos. Los dos somos conscientes de que no se trata de una gran pasión y que no durará para siempre. Nada de promesas rotas, y nada de corazones destrozados.

Gwen se mordió el labio y se quedó mirando las luces de la base naval que brillaban en el puerto. Lágrimas de frustración se le agolparon en los ojos, pero las rechazó, furiosa consigo mismo por mostrar tanta debilidad. Aspiró con fuerza el aire varias veces hasta estar segura de tener sus emociones controladas y poder volver a enfrentarse a Declan.

–Sí, por supuesto, tienes razón. Ahora me gustaría irme a casa.

Caminaron en silencio de regreso hacia la rampa que llevaba al aparcamiento. Cuando se acercaban, Gwen se detuvo.

–Volveré a casa en mi propio coche. Todo el mundo nos ha visto salir juntos de la fiesta, así que no tienes que preocuparte de que nadie sospeche que no nos hemos marchado juntos.

Una mano fuerte la detuvo sobre sus pasos.

–He dicho que te llevaría a casa y eso es lo que ' a hacer.

–Pero no es necesario. Tengo el coche aquí y tengo que venir a buscarlo mañana de todas formas.

Declan le pasó la mano por la cintura y la llevó hacia su propio coche.

–No discutas conmigo, Gwen. Yo siempre cumplo lo que digo. Recogeremos tu coche mañana, cuando hayamos visto a Connor para que prepare nuestro contrato.

Mientras el coche deportivo de Declan se comía los kilómetros en dirección a casa de Gwen, ella reflexionó sobre el súbito giro que había dado su vida. Apretó los labios con pesadumbre. Ni siquiera su madre podía presumir de haber estado comprometida con dos hombres en un mismo día.

El papel de lija le mordió los dedos mientras Gwen aplicaba más presión de la estrictamente necesaria. Costara lo que costara iba a mejorar la repisa de la chimenea con la que se había puesto a primera hora de la mañana. Tal vez si frotaba lo suficientemente fuerte conseguiría no sólo quitar las capas de pintura que enmascaraban la madera autóctona que confiaba apareciera debajo, sino también el hecho de que su propia vida se le hubiera ido de las manos.

El estómago le dio un vuelco. No había sido una buena idea no desayunar. La noche anterior permanecía anclada en su memoria. La había repasado una y otra vez, tratando de pensar de qué otro modo podría haber hecho las cosas.

Durante el regreso a su caso la noche anterior, Declan había estado muy callado. La acompañó hasta la puerta, pero no se entretuvo ni un instante. Gwen esperaba en el fondo que intentara darle un beso de buenas noches, sólo para mantener la cercanía que tendrían que fingir, por supuesto. Pero sufrió una extraña punzada de decepción cuando no lo intentó.

Gwen suspiró y dejó a un lado la lija. Estaba causando más daño que otra cosa. Los años de pintura de la repisa requerían sin duda intervención química. Gwen se apartó un mechón suelto de la cara y dio un respingo cuando una sombra apareció en su hombro.

–He llamado a la puerta, pero está claro que no me has oído.

¡Declan! Gwen se puso de pie bruscamente. Su embriagador aroma ligeramente especiado le envolvió los sentidos. El olor de Declan había permanecido en ella mucho después de que la dejara la noche anterior en la puerta. La había inundado cuando se metió entre las sábanas.

–Estás un poco pálida hoy –comentó Declan mirándola con los ojos entornados–. ¿No has dormido bien?

En cambio él tenía un aspecto magnífico, pensó molesta. Parecía muy cómodo con la camisa blanca de algodón de manga corta y los pantalones grises. Se había recogido el largo cabello, y tenía la frente y los pómulos despejados.

Gwen trató de ignorar el modo en que la tela de la camisa se le ajustaba al pecho y a los hombros.

–Supongo que tú habrás dormido como un bebé –le espetó.

–Así es –la respuesta de Declan no dejaba lugar a dudas de que todo estaba bien en su mundo–. Tienes trabajo esta mañana –alzó la mano hacia la mejilla de Gwen–. Deberías ponerte una mascarilla. Esto podría tener plomo.

Gwen sintió fuego en la piel con aquel suave contacto y apartó la cabeza.

–La mayor parte de mi equipo está en el maletero de mi coche. ¿Has venido para llevarme a recogerlo?

Gwen se limpió las manos en los vaqueros antes de pasárselas por el rostro para quitarse la pintura y también el rastro del contacto de Declan.

–Luego. Primero vamos a comprar el anillo.

–¿Qué anillo? –Gwen dio un paso atrás.

–¿El de nuestro compromiso, tal vez? –Declan alzó una ceja.

–No necesito ningún anillo –estuvo de acuerdo con Steve en que un anillo era una compra innecesaria, aunque en el fondo de su corazón le hubiera gustado llevarlo.

–Esto no tiene nada que ver con la necesidad. Tenemos que hacer que parezca real, y no tenemos mucho tiempo. Voy a comprarte un anillo. ¿Por qué no vas a cambiarte? A menos, por supuesto, que prefieras ir así –concluyó señalando con un gesto la camiseta manchada de pintura y los vaqueros desteñidos.

A Declan no parecía que le importara lo más mínimo. Consultó su reloj.

–Será mejor que nos pongamos en marcha. El joyero no abre normalmente los sábados y hoy va a hacer una excepción con nosotros.

El estómago de Gwen escogió aquel momento para sonar lo suficientemente alto como para que Declan sonriera.

–Tal vez debería darte antes algo de comer.

–Estoy bien –respondió ella–. Estaré lista en cinco minutos.

Tardó quince minutos tras escoger y descartar al menos seis atuendos diferentes.

–Terminemos de esto de una vez por todas –Gwen se colgó el bolso al hombro y levantó los brazos para recogerse el pelo con una horquilla plateada. Vestida con tonos lavandas, Gwen sabía que, aparte de las ojeras que no podía disimular, tenía buen aspecto.

–Parece que preferirías que te arrancaran un diente –aseguró Declan sacando las llaves del bolsillo, pero sin moverse.

–Tú lo has dicho, no yo.

–¿Por qué estás tan enfadada? –Declan puso el brazo en la puerta para impedir que ella evitara la pregunta–. Sólo es un anillo.

–¿Nos vamos? –Gwen le lanzó una mirada afilada antes de agacharse y pasar por debajo de su brazo para salir.

–De acuerdo, así que no quieres hablar de ello –Declan la siguió–. Sería todo más fácil si te relajaras un poco.

–Estoy perfectamente –aseguró Gwen.

El coche de Declan brillaba en la acera. Le había bajado la capota porque hacía un día muy bueno. Le sujetó la puerta hasta que estuvo sentada en el asiento del copiloto. Gwen se fijó entonces en el coche. Era una preciosidad. Una belleza clásica. Poderoso y peligroso.

Steve conducía un utilitario de la empresa. Práctico, había dicho cuando se lo dieron. Pero Gwen se había dado cuenta de cómo miraba al coche de Declan con resentimiento.

Gwen acarició el suave asiento de cuero.

–Es una preciosidad.

–Sí –Declan se colocó detrás del volante y le clavó los ojos con intensidad–. Sí lo es.

Gwen no sabía dónde mirar o qué decir. Apretó los puños hasta clavarse las uñas mientras Declan ponía el motor en marcha.

Gwen abrió los ojos de par en par cuando un poco más tarde reconoció el cartel en oro y borgoña quc había encima de la joyería.

–No creo que esto sea una buena idea –protestó cuando Declan paró el coche.

–¿Por qué no?

–Este lugar es demasiado caro… ¿no podemos mirar en un sitio más económico?

–Ya que vamos a hacer esto, se trata de convencer a todo el mundo de que es real. Vamos, no pasa nada. Te prometo que no verás el precio en ningún momento.

–Ése es el problema –murmuró Gwen entre dientes cuando Declan se bajó para abrirle la puerta.

La tienda era por dentro elegante y serena. Los acordes de una melodía de Vivaldi inundaban el aire.

–¡Ah, Declan! Felicidades, amigo, y por supuesto a usted también, señorita –un hombre alto y delgado cruzó la tienda hacia ellos–. Estaba empezando a creer que nunca necesitarías mis servicios.

Declan aceptó la mano que el otro hombre le tendía y se la estrechó con fuerza.

–Gwen, éste es mi amigo Frank Dubois, lo conozco desde el colegio. Frank, te presento a mi futura esposa, Gwen Jones.

–*Enchanté*, señorita Jones –el joyero sonrió.

–Por favor, llámame Gwen.

–Estupendo, Gwen. Creo que tengo justo lo que buscáis. Un juego de anillos de platino.

Frank los guió hacia la parte de atrás de la tienda, donde sacó una bandeja de anillos de un cajón cerrado con llave.

Gwen se quedó asombrada ante la variedad de diseños y piedras preciosas. Frank escogió un zafiro en forma ovalada y engarzado con diamantes.

–No –aseguró Declan con firmeza–. Quiero que lleve sólo diamantes.

El joyero asintió y volvió a colocarlo en la bandeja antes de mostrarle otro a la observadora mirada de Declan.

–Sí, esto es –Declan parecía satisfecho.

Sacó del lecho de terciopelo negro un anillo con un diamante en medio rodeado de otros más pequeños a los lados. Era una pieza maravillosa que Gwen observó hipnotizada cuando se la deslizó Declan en el dedo.

–Te queda perfecto –aseguró él–. ¿Qué te parece?

–Es... es... –no tenía palabras.

–Aquí está el anillo de boda a juego –Frank sacó una alianza de diamantes de la bandeja.

Gwen estaba abrumada. Los anillos eran impresionantes, pero no eran para ella. Las palabras le fallaban, pero los actos no. Apartó la mano de la de Declan y trató de quitarse el anillo. Se le ajustaba tan bien que le costó trabajo sacárselo por el nudillo.

–Me parece que no –consiguió decir finalmente.

–¿Prefieres algo más grande? –preguntó Declan.

–¡Oh, no, por supuesto que no! El anillo es precioso, todos lo son, pero no me siento bien con ninguno de ellos.

–De acuerdo –Declan le quitó el anillo y se lo devolvió a Frank–. Lo siento, amigo. Creo que te hemos hecho abrir para nada.

–No te preocupes, *mon ami.* Estamos esperando un nuevo cargamento de diamantes para principios de la semana que viene. Tal vez podamos diseñar algo especial para vosotros dos.

Gwen deambuló por la parte de atrás de la tienda, donde había exhibidores iluminados por brillantes luces.

–Oh –suspiró involuntariamente al ver un anillo tan bonito en su simplicidad que le llamó la atención.

–¿Has visto algo que te guste? –Declan se puso a su lado frente al exhibidor–. Frank, ven a abrirnos esto.

–Ah, una de las antigüedades que trajimos el mes pasado de Europa –explicó Frank abriendo el exhibidor para sacar de su pedestal un sencillo anillo de diamantes y esmeraldas–. Si te gustan las antigüedades, puedo enseñarte más.

–No –dijo Declan observando el rostro de Gwen mientras se probaba el anillo–. Es éste, ¿verdad?

Era sólo un anillo, había dicho Declan en su casa. Entonces, ¿por qué sentía Gwen que el corazón le cantaba de placer al verlo?

–Sí, me encanta –confesó ella.

–Entonces es tuyo. Y también una alianza sencilla, Frank.

–¿Y qué me dices de ti, *mon ami*? ¿Tú también quieres una alianza?

Gwen contuvo la respiración. ¿Querría llevar Declan también anillo? Steve se había negado, diciendo que no hacía falta sumar más gastos. De repente, la perspectiva de la boda cayó sobre su mente. ¿Sería capaz de pronunciar sus votos a un hombre que apenas conocía delante de su familia y amigos, de entregarle un anillo?

–Por supuesto.

Gwen lo miró sin dar crédito. «¿Por supuesto?». ¿Acaso le había leído la mente? Declan no parpadeó ni una vez cuando sus miradas se cruzaron.

Frank se apresuró a mostrarles una bandeja con alianzas de boda para hombres.

–Tal vez quieras escogerlo tú por él, Gwen –sugirió mientras le colocaba delante el muestrario.

Ella deslizó la mirada por la gran variedad de anillos, unos muy ornamentales y otros sencillos. No quería hacerlo. Aquello era otro símbolo de lo superficial que era su relación. Deslizó la mano por las filas de alianzas hasta que sacó uno de su cama de terciopelo. Era también de platino y tenía una fila discreta de diamantes.

–Éste servirá –se lo pasó a Declan.

Para su disgusto, en lugar de probarse el anillo,

Declan estiró la palma de la mano izquierda para que se lo pusiera ella.

A Gwen le latió el corazón con fuerza dentro del pecho. ¡Oh, cielos, no podía hacerlo!

–Pónmelo, Gwen –la voz de Declan era suave, pero no cabía duda de que se trataba de una orden. Aspirando con fuerza el aire y con mano temblorosa, Gwen le deslizó el anillo en el dedo. Parecía que lo hubieran hecho a su medida. Sin saber por qué, ella sintió una inesperada sensación de posesión, pero la apartó al instante. ¿En qué estaba pensando?

Aquello era una farsa. Lo que Declan y Renata tuvieron era real. Esto no era más que una decisión financiera, y más le valía no olvidarlo.

–Nos llevaremos los dos hoy –Declan se quitó el anillo y se lo dio a Frank para que lo pusiera en su caja–. Gracias, Frank. Sabía que tendrías lo que buscábamos. Apúntalo a mi cuenta.

Declan acompañó a Gwen afuera. Ella parpadeó ligeramente al sentir la cegadora luz del sol.

–Bueno, ¿vamos ahora por mi coche? –preguntó esperanzada.

–No. Primero tenemos otra cita, ¿recuerdas?

Por supuesto que lo recordaba.

–¿Connor?

–Sí. Es hora de que ultimemos las condiciones del contrato de las que me hablaste ayer –dijo abriéndole la puerta del Jaguar–. Y yo también quiero añadir las mías.

Capítulo Cuatro

–Así que tenemos que estar casados seis meses para que obtengas el dinero. ¿Ya lo sabías anoche? –preguntó Gwen desde delante de la cristalera con un tono controlado que nada tenía que ver con los pensamientos que se le pasaban por la cabeza.

–Sí, lo sabía –Declan se cruzó de brazos y se reclinó hacia atrás en la cómoda silla del despacho de Connor, su hermano pequeño. Tal y como Gwen lo había dicho, parecía que la hubieran condenado a cadena perpetua.

–¿Y no se te ocurrió decírmelo cuando hablamos de cuánto iba a durar este... matrimonio? –la voz le tembló ligeramente.

Por supuesto que se la había ocurrido, pero cuando ella empezó con la negociación del tiempo que iban a permanecer casados, a Declan se le ocurrió la idea de que pareciera que la duración de su matrimonio era idea suya. Así sería más difícil que se echara atrás. Declan frunció ligeramente el ceño e intercambió una mirada con su hermano pequeño, que entonces intervino.

–Según las condiciones del testamento de nuestra madre, todo irá a parar a manos de nuestro padre si Declan permanece casado un periodo inferior a seis meses –el rostro de Connor adquirió una expresión dolida, dejando claro lo que pensaba de aquel asunto–. Mirad, creo que os estáis precipitando. Me parece que no habéis considerado todas las consecuencias. ¿Por qué no os tomáis unos días más?

–No te preocupes, Connor. No estaríamos haciendo esto si no fuera absolutamente necesario.

Dios sabía que una oportunidad como el proyecto Sellers no volvería a presentarse.

Connor se apartó de su escritorio.

–Dejadme que os lo explique.

–No, Connor –Declan alzó una mano–. Esto es entre la dama y yo. Yo peleo mis propias batallas.

–Eso sí es verdad –murmuró su hermano regresando al escritorio–. Nunca dejas que nadie te eche una mano.

Declan se mordió la lengua. Al ser el mayor, siempre había asumido la responsabilidad. Alguien tenía que enfrentarse al viejo cuando él y sus hermanos eran jóvenes. Se levantó de la silla y se acercó a la ventana para colocarse al lado de Gwen. Fuera se había levantado viento. Los barcos del puerto se agitaban graciosamente sobre el mar turquesa. ¿Cuánto hacía que no se sentía tan libre y sin ataduras como los yates del puerto? ¿Cuánto tiempo llevaba sin hacer algo por el puro placer de divertirse?

Tenía que recuperar el equilibrio en su vida. Necesitaba volver a recuperar el control. Aquel contrato la ayudaría a ver las cosas con más claridad. Había llegado el momento de recuperar su vida. La voz de Gwen interrumpió sus pensamientos.

–Entonces, si ya vamos a firmar un contrato, ¿para qué necesitamos además un acuerdo prematrimonial? –preguntó Gwen con tono algo alterado–. Después de todo, esto no va a ser un matrimonio de verdad. Tú mismo lo calificaste anoche de acuerdo de negocios. Ya sabes que no quiero nada más de ti que lo que acordamos.

Gwen pasó rápidamente las hojas del contrato prenupcial sobre el que llevaban discutiendo la última hora.

Maldición, qué guapa se ponía cuando se enfadaba. ¿De dónde diablos había salido aquello? Declan no quería pensar en Gwen en términos de atracción. Otra vez no.

–No es por mí. Es para protegerte a ti –aseguró apretando los dientes. Odiaba sentirse así de vulnerable, sobre todo con ella. Sabía que tenía que haber hecho más para evitar que Renata y ella fueran a escalar aquel día, pero Gwen podía haberse negado. ¿Dónde estaría ahora si lo hubiera hecho? Y a pesar de todo, se sentía también responsable de la pérdida de Gwen. Si no le hubiera dado tanta responsabilidad a Steve Crenshaw ahora ella no estaría tampoco metida en aquel lío.

Gwen se retorció las manos. ¿Y si se echaba atrás ahora? Declan sintió un nudo en el estómago. Había llegado el momento de jugar sucio.

–Puedo protegerme sola –aseguró con voz grave y ronca que provocó que su cuerpo reaccionara a un nivel físico que creía tener controlado desde la noche anterior.

–Sí, eso está claro. Vamos, Gwen, piensa un poco. ¿Qué vas a hacer cuando el banco quiera cobrar el crédito que has avalado con tu casa? ¿Vas a quedarte cruzada de brazos mientras se quedan con tu hogar?

Ella se estremeció ante la dureza de sus palabras.

–Oye, Declan, eso está fuera de lugar –el gruñido de advertencia de Connor cruzó la estancia.

–¿Fuera de lugar? No, ella tiene tanto que perder como yo. Tal vez incluso más. Para que esto funcione los dos tenemos que estar completamente comprometidos –Declan se giró para mirarla de frente. Sabía cuánto significaba aquella casa para ella. Renata le había hablado de la infancia de su amiga, y sobre la tía soltera que le había dejado la propiedad libre de cargas.

Gwen tenía la cabeza gacha. Declan le levantó la barbilla con un dedo, obligándola a mirarlo.

–¿Qué me dices?

Ella aspiró con fuerza el aire y luego lo exhaló muy despacio.

–Dame un bolígrafo. Firmaré tus malditos papeles. Todos –su voz resultaba tan fría como su mirada.

Gwen se apartó de él y se dirigió hacia el escritorio de Connor, donde estaban los papeles. Declan sintió cómo el corazón le latía con fuerza cuando ella se inclinó para firmar el acuerdo. La suave tela de la falda le acariciaba las caderas y flotaba por sus muslos.

Seis meses. Declan sintió una opresión en los hombros. Iban a ser los seis meses más largos de su vida.

Estaba haciendo lo correcto. Gwen repitió aquellas palabras en su cabeza una y otra vez, como si así consiguiera que fueran ciertas. El acuerdo la beneficiaba. Cualquier mujer en su sano juicio se habría agarrado a aquella oportunidad. No se estaba prostituyendo para los próximos seis meses, razonó. Ni aquello tenía tampoco nada que ver con el sexo. Gwen se sonrojó al recordar aquella palabra tan explícita escrita en el acuerdo, cuya copia descansaba en el fondo de su bolso. No, la intimidad no formaba definitivamente parte del trato.

Ahora estaba obligada por contrato no sólo a ser su esposa, sino además a trabajar para él. No había vuelta atrás. Al menos contaría con la seguridad de unos ingresos que se iba a ganar honradamente. Miró a Declan, que estaba atacando el chuletón que tenía en el plato como si fuera su peor enemigo. Los músculos de los antebrazos se le flexionaron mientras manipulaba el cuchillo con precisión, y Gwen observó fascinada cómo curvaba los dedos en él.

El recuerdo no deseado de aquellos mismos dedos morenos sobre la palidez de sus senos le invadió la mente.

Declan dejó caer el tenedor con fuerza en el plato.

–¿Qué te ocurre? ¿No te gusta tu pescado?

Gwen alzó la vista y se vio atrapada en su mirada oscura y aterciopelada.

–Sí… está muy bueno, gracias –Gwen apartó los ojos de él y se centró en su plato. La comida estaba deliciosa, pero ella había perdido el apetito. Se revolvió incómoda en la silla. No conseguiría sobrevivir hasta el final de su matrimonio si ni siquiera era capaz de sentarse frente a él para comer. Seis meses. No era mucho. En realidad no.

–No estás disfrutando de la comida –Declan la miró con preocupación–. ¿Quieres marcharte?

–Sí, eso será lo mejor –Gwen se inclinó, agradecida por tener una excusa para que él no viera el anhelo en sus ojos y recogió el bolso del suelo. Declan llamó al camarero y pidió la cuenta.

–Vamos, te llevaré a casa –Declan le pasó el brazo por el hombro y la llevó fuera.

–Pero, ¿y mi coche? Todavía tenemos que ir a buscarlo –protestó Gwen débilmente.

–Dame las llaves. Enviaré a alguien a buscarlo esta tarde.

–No, estoy bien. De veras. Prefiero conducir yo hasta mi casa.

Cualquier cosa antes de verse obligada a pasar un minuto más cerca de Declan Knight. Necesitaba desesperadamente algo de espacio, estar sola para ordenar sus pensamientos.

Declan la estrechó suavemente contra su costado y Gwen trató de apartarse.

–Las apariencias, ¿recuerdas? La editora de la sección de sociedad del periódico está sentada al fondo del restaurante. Es buena amiga de mi padre –Declan le presionó los labios cálidos contra el oído, y ella se estremeció. Sí, de acuerdo. Las apariencias.

En un intento de poner sus rebeldes hormonas bajo control, Gwen recordó lo que sentía con Steve. El cuerpo de Declan era firme, y el de Steve resultaba más blando. Más frío.

–Pareces agotada. Ha sido un día infernal, ¿verdad? –preguntó Declan.

–Sí, lo ha sido.

–Piensa que dentro de una semana a estas alturas deberías estar preparándonos para la boda. Es a las cuatro de la tarde, ¿verdad?

–Sí… a las cuatro en punto –respondió Gwen distraída.

–Tenemos que corregir los datos en el Registro el lunes por la mañana.

–No había pensado en ello –en realidad, estaba tratando de no pensar en nada de todo aquello.

–Connor dice que tardaremos al menos tres días laborales en conseguir nuestra licencia, así que vamos muy justos de tiempo.

Gwen se preguntó qué habría hecho Steve con su licencia de boda. Seguramente la habría tirado, como había hecho con su futuro común. Apretó los dientes. Le iba a resultar imposible pasar por aquella boda. Era todo lo que había preparado meticulosamente, pero con un novio sustituto. Pero tenía que valer la pena. Iba a conservar su casa, lo único que le quedaba en la vida que podía considerar suyo.

Declan la siguió hasta su casa tras dejarla en el edificio de Libby para que recogiera su coche. Una vez dentro, Gwen observó cómo tomaba asiento en el sofá.

–Sé que probablemente estás harta de verme, pero tenemos que ver un par de cosas más antes del próximo sábado.

–Como quieras –respondió Gwen de forma deliberadamente neutral. ¿Harta de verlo? Ojalá fuera tan sencillo–. Voy a poner agua a hervir. ¿Quieres un café?

–Claro.

–Vuelvo en un minuto.

Una vez en la cocina, Gwen sacó una bandeja con gesto automático y puso encima la lechera y el azucarero. Encontró un cierto alivio en aquellos movimientos automáticos. Luego sirvió el agua hirviendo en el émbolo de la cafetera. Colocó dos tazas de cerámica en la bandeja y ya estaba dispuesta a regresar al salón. Aspiró con fuerza el aire, echó los hombros hacia atrás y levantó la bandeja.

–Deja que yo lo haga.

Gwen dio un respingo al escuchar la voz de Declan justo detrás de ella.

–No pasa nada, puedo llevarla yo –pero él ya se la había quitado de las manos y regresaba al salón.

–¿Cuándo tienes que confirmar el número de invitados con el catering? –le preguntó mirando hacia atrás.

–El miércoles como muy tarde.

–De acuerdo, me aseguraré de hacerte saber para entonces a cuánta gente voy a invitar yo.

–El local es bastante pequeño –dijo Gwen sonrojándose–. No podíamos permitirnos un sitio más amplio.

–No pasa nada. Me parece bien que sea pequeño. Pero me gustaría que fueran mi padre y mis hermanos.

–Oh, claro. Por supuesto.

–Y quiero que me mandes por correo electrónico el costo estimado de la boda para poder reembolsártelo.

El orgullo de Gwen la llevó a protestar, pero se contuvo porque sabía muy bien qué terreno pisaba. Así que se limitó a asentir con un murmullo. Cuando Declan se sentó y sirvió el café, Gwen se agachó para recoger el trozo de lija que había dejado allí aquella mañana. Necesitaba desesperadamente algo con lo que distraerse ante su dominante presencia.

–Sería más sencillo con una lija eléctrica, ¿no?

–Sí –reconoció ella apretando los dientes. ¿Cuándo se marcharía y la dejaría en paz?–. La mía está reparándose en el taller. Además, en este caso no tengo prisa. Me gusta tomarme mi tiempo cuando se puede. Cuando se construyeron estas casas no existían las herramientas eléctricas.

Declan le tomó una mano entre las suyas y la giró, acariciándole suavemente con el pulgar los callos que había desarrollado a lo largo de los últimos años.

–¿Siempre te castigas de esta forma cuando intentas que las cosas vuelvan a tener el aspecto que lucían antes?

Gwen apartó bruscamente la mano antes de que el cosquilleo de la palma le invadiera todo el cuerpo.

–A veces hay que hacer las cosas del modo más difícil.

«Y puedes tomarte eso como te dé la gana».

–¿Por qué no me enseñas la casa y me cuentas qué planes tienes para ella?

–¿Para qué?

–Me interesa conocer el lugar en el que voy a vivir los próximos seis meses.

–¿Tú? ¿Vivir aquí? –seguramente le habría entendido mal.

–Gwen, nos casamos la semana que viene. ¿No crees que la gente se preguntará por qué no vivimos juntos? Ya sé que no es lo que preferimos ninguno de los dos, pero si vamos a seguir adelante con esto no nos hará daño soportar unas cuantas privaciones.

¿Privaciones? Declan no sabía cuántas. Gwen no se había parado a pensar en dónde viviría después de casarse. De hecho, no había pensado más allá de la boda. Gwen sacudió lentamente la cabeza. Toda su vida se le había escapado de las manos.

«Recuerda a Renata». Recordó de nuevo la promesa que le había hecho a su amiga y que sin embargo todavía no había cumplido. Le debía a su amiga que Declan alcanzara su meta.

–Por supuesto, tienes razón –reconoció forzando una sonrisa–. De acuerdo, te enseñaré la casa. No llevará mucho tiempo. Empezaremos desde atrás, con la cocina, ¿de acuerdo?

Tal vez si avanzaban hacia la puerta de entrada, Declan captaría la indirecta y se marchara.

–Me parece bien –Declan la siguió muy pegado a ella. Casi podía sentir la rabia y la frustración que emanaban en oleadas de Gwen. Unos finos mechones le escapaban de la coleta y le acariciaban el cuello. Si ella hubiera sido cualquier otra mujer, la habría parado allí mismo para besarle aquella piel tan delicada. Pero se trataba de Gwen, se recordó. Eso no podía ocurrir de ninguna manera.

Le gustó lo que vio en la cocina de Gwen. Quedaba claro que se tomaba muy en serio su trabajo. Sería una gran baza para el proyecto Sellers, si es que lo conseguía. Cuando Declan hubiera convertido el antiguo hotel en apartamentos, Gwen conseguiría crear áreas funcionales con todos los lujos automáticos que requería una ciudad moderna, pero conservando el espíritu del diseño original del edificio.

–Tuve suerte de que la tía Hope nunca sucumbiera a la consigna de «hazlo tú mismo» que destrozó tantas casas como ésta en los años sesenta y setenta, pero también es cierto que apenas se ocupó de mantener lo que tenía. Enfermó cuando yo estaba en cuarto curso en la Universidad Victoria y descuidó completamente la casa. Nunca dejó entrever lo enferma que estaba. Lo siguiente que supe fue que su abogado me llamó para decirme que la casa era mía. Ni siquiera tuve oportunidad de asistir a su funeral.

–No estabais muy unidas, ¿verdad?

–Podría decirse que no.

Gwen sintió una punzada de dolor en el pecho y apretó los labios para esperar a que pasara. ¿Había sido mucho esperar que su tía sintiera cariño por aquella niña de nueve años que dejaron en la puerta de su casa? Al parecer sí.

–Para cuando me enteré de que la casa era mía y podía hacer con ella lo que quisiera, ya había empezado a hacerme con una cartera de clientes y tenía grandes ideas sobre lo que quería hacer para devolverle a la casa su belleza original. Al principio fui como una bala, pero luego, cuando fui consiguiendo más contratos, me vi obligada a ir de habitación en habitación. Todavía me quedan algunas por arreglar.

–Es una casa muy grande y tiene mucho trabajo para una sola persona. Normalmente trabajas con una cuadrilla, ¿no?

–Sí, tengo la mía propia, pero no para este caso. Quiero hacerlo yo.

–Te encanta, ¿verdad? El trabajo. La casa –Declan no podía apartar los ojos de las femeninas manos de Gwen, que estaban acariciando el marco de madera pulida de la puerta.

Ella asintió y dejó caer la mano como si se hubiera dado cuenta de cómo la observaba.

–¿Siempre ha pertenecido a tu familia?

–Sí. La construyó mi bisabuelo a finales del siglo XIX.

Declan la observó detenidamente. Su mayor miedo era que, por una razón u otra, todavía pensara en desistir del acuerdo al que habían llegado. Pero con el patrimonio de su familia en juego, estaba seguro de que no lo haría. La siguió hacia el pasillo y señaló hacia una puerta decorada con una vidriera multicolor.

–¿Qué esto?

–El cuarto de baño. Fue una de las primeras estancias en las que trabajé. Todavía no lo he terminado –suspiró–. Pero terminaré haciéndolo. Tengo la vidriera gemela de ésta colocada en el muro exterior, pero eso es todo lo que he hecho.

–Oye, no te mortifiques. No has tenido ayuda.

–Steve me ayudaba a veces –Declan se dio cuenta de que se había apresurado a salir en defensa de Crenshaw, aunque dudaba mucho de que el otro hombre hubiera servido de mucha ayuda. Por lo que lo conocía, era más de papeles que de trabajo físico. Y menos de mancharse las manos, a no ser que fuera con el dinero de los demás. ¿Seguiría todavía enamorada de aquel cretino?, se preguntó. Quién sabía. Era irrelevante, siempre y cuando cumpliera las condiciones del contrato.

Declan abrió una puerta y entró en una estancia que tenía trozos del antiguo suelo de linóleo todavía en algunos sitios y el papel pintado cayendo de la pared.

–¿Me dejarás que te ayude mientras esté aquí?

Ella pareció asombrada.

–¿Tengo alguna opción?

–No.

–Entonces, ¿para qué preguntas?

–Mi madre me enseñó a ser educado.

Los ojos grises de Gwen se oscurecieron un tanto.

–Entonces acepto, ya que sólo estás siendo educado –aseguró con acidez.

Siguieron avanzando por la casa. Declan le iba preguntando sus planes para cada habitación, sugiriendo alguna idea propia. Cuando llegaron a los dormitorios, Gwen vaciló.

–Ésa es mi habitación y… –señaló al otro lado del pasillo, donde había dos puertas–, tú puedes instalarte en la otra. En origen era la habitación principal. Está llena de cajas en este momento, pero puedo llevarlas a la antigua salita. Es mi despacho, pero no paso mucho tiempo allí.

El antiguo tirador de bronce brillaba con la pátina de los años de uso y se deslizó suavemente bajo su mano. Declan abrió la puerta. El papel pintado colgaba de las paredes y una moqueta deshilachada cubría el suelo.

–Lo siento, no es gran cosa, pero no esperaba invitados.

Gwen alzó la barbilla como si pudiera vencer con aquel gesto al mundo, con él incluido. El deseo de contestar a su desafío creció con fuerza dentro de él, poniendo todo su cuerpo en alerta. Pero echó el freno de inmediato. Dios, ¿en qué estaba pensando? Se trataba de Gwen. La única mujer a la que nunca debió haber tocado, y la única a la que había jurado no volver a tocar. Declan apartó la mirada de su rostro y miró la habitación.

–Está bien. Si termino de arrancar el papel de la pared y me libro de esa moqueta, quedará habitable. ¿Te importa si me traigo mis muebles?

–Por supuesto que no. No espero que duermas en el suelo.

–Traeré mis cosas durante la semana.

–¿No prefieres esperar a después de la boda?

–¿Para qué esperar? –Declan le clavó la mirada–. Después de la boda todo el mundo esperará que nos vayamos de luna de miel.

–¿Luna de miel? No pienso ir de luna de miel contigo.

–No te preocupes, Gwen. Es sólo por guardar las apariencias, ¿recuerdas? No hace falta que vayamos a ningún lado. Nos quedaremos aquí y trabajaremos en la casa. Juntos.

Declan observó con interés cómo Gwen trataba de encontrar un argumento, y se llevó una pequeña desilusión al ver que encogía los hombros y accedía.

–De acuerdo. Las apariencias. Claro. Podré vivir con ello.

Seguro que sí podría, pensó Declan cuando se marchó de allí unos minutos más tarde con aquellas palabras todavía resonando en sus oídos. Pero, ¿y él? ¿Podría vivir con el recuerdo constante de todo lo que amaba y había perdido a causa de Gwen Jones? De una cosa sí estaba seguro: fuera cual fuera la respuesta, lo iba a averiguar muy pronto.

Capítulo Cinco

Gwen estaba echada cabeza abajo entre un revoltijo de sábanas, con la almohada encima de la cabeza y las manos firmemente apoyadas contra su suavidad de pluma.

¡Bang, bang, bang!

Maldición, aquel ruido no cesaba. Soltó un gruñido y se apartó la almohada para mirar con ojos somnolientos el reloj de la mesilla. ¡La siete en punto! ¿Quién se presentaba a las siete de la mañana un domingo por la mañana, por el amor de Dios? Salió de la cama y agarró la bata de la percha de la puerta. Le dolieron los hombros, un recordatorio de que había sacado todas las cajas del otro dormitorio la noche anterior.

¡Bang, bang, bang!

–¿Gwen? ¿Estás bien?

¡Declan! ¿Qué diablos estaba haciendo ya allí? Cuando por fin se marchó el día anterior, confiaba en que no apareciera hasta que estuviera listo para meter sus cosas en el dormitorio. Confiaba en que eso no sucediera hasta el miércoles, o incluso más tarde.

–¡Ya voy! –Gwen metió la llave en el cerrojo y abrió la puerta–. ¿Qué pasa? –preguntó mirándolo con dureza.

–Deberías comprarte un timbre, ¿sabes? –dijo Declan con una sonrisa. Estaba espectacularmente guapo, con su largo cabello suelto y retirado de la cara. Una camiseta vieja y desteñida le cubría los hombros, y los vaqueros que le colgaban de las caderas también parecían viejos.

–No necesito un timbre –arguyó Gwen al instante.

«Ni tampoco te necesito a ti», pensó. Y menos después de una noche de sueños inquietos que la habían hecho despertarse varias veces antes del amanecer.

–Eres de las que no se levantan de buen humor, ¿verdad? –comentó Declan alegremente mientras pasaba por delante de ella con una caja de herramientas grande bajo el brazo y una lona cuidadosamente doblada en la otra mano.

–¡Gr! –Gwen se giró sobre los talones y regresó a su dormitorio. Cerró de un portazo y la puerta se tambaleó en las bisagras. Contuvo un gemido cuando vio la grieta que se había formado alrededor del marco de la puerta.

«¡Maldito sea! ¡Mira lo que me ha obligado a hacer!», pensó furiosa.

Gwen se metió en la cama y se cubrió con el edredón. Escuchó a Declan moviéndose por el pasillo mientras hacía varios viajes hacia el coche. Finalmente, cerró la puerta de entrada y ya no hubo otra cosa que un bendito silencio. Gwen cerró los ojos.

Un aroma embriagador le hizo cosquillas en las aletas de la nariz, despertándola del sueño. ¿Café? Miró con ojos entrecerrados el reloj y vio que eran las diez en punto. ¡Las diez! Gwen se despertó del todo y corrió a abrir la puerta de su dormitorio.

El pecaminoso aroma del café recién hecho flotaba por el pasillo procedente de la cocina. Un repiqueteo seguido de una palabrota sonó desde el dormitorio de Declan. Gwen se detuvo sobre sus pasos. Declan había montado un pequeño andamio en una de las paredes y estaba claro que había trabajado duro durante las últimas tres horas. Y también había pasado calor, a juzgar por su aspecto. Se había quitado la camiseta.

Gwen trató de ignorar la oleada de deseo que se apoderó de ella al fijarse en su musculosa espalda. La espalda de Declan brillaba por el ejercicio. Se había retirado el cabello de la cara con una delgada cinta de cuero y tenía un dispensador de vapor en una mano y una lija en la otra para arrancar el papel que quedaba en la pared.

Gwen tragó saliva para humedecerse la garganta.

–¿Te estás divirtiendo?

Los músculos de los hombros de Declan se tensaron al escuchar sus palabras, pero no hizo nada más. Finalmente, cuando cayó la última tira de papel al suelo, se giró para mirarla.

–Por fin te has levantado –Declan dejó las herramientas y sacó una toalla de aspecto poco pulcro de la cinturilla de los pantalones. Al quitarles aquel peso extra, los vaqueros se deslizaron unos centímetros, dejando al descubierto un poco más de piel bronceada.

–¿Tienes hambre?

Una espiral de calor subió por el vientre de Gwen mientras se forzaba a apartar la mirada de la promesa oculta que se ocultaba debajo de sus pantalones. Sintió los senos inflamados y duros, y cómo los pezones se le apretaban contra la tela del camisón y la bata. Miró a Declan a los ojos. Reflejaban la misma intensidad que los suyos. Lo sabía, maldito fuera. Sabía perfectamente el efecto que provocaba sobre ella.

–Podrías servir una taza de café para cada uno –Declan mantuvo los ojos en ella sin pestañear.

–Claro. Iré a buscarlo.

Gwen se marchó por el pasillo, agradecida por tener una excusa para evitar tener que mirarlo. Para evitar reconocer su débil reacción. Cualquier mujer habría reaccionado igual que ella si hubiera tenido que enfrentarse a su arrolladora virilidad, pensó desesperada.

–Yo tomaré el mío solo –Declan entró en la cocina y apoyó la cadera contra la encimera. Gwen agradeció al cielo que se hubiera puesto la camiseta.

–¿Has dormido bien?

Ella sirvió el café en una de las tazas y se la pasó.

–Sí, gracias.

Se sirvió la otra taza y añadió una buena cantidad de leche antes de llevársela a los labios. Declan dejó su taza y metió un par de rebanadas de pan en la tostadora.

–¿Has desayunado? –preguntó ella abriendo la puerta de la nevera en un intento de poner una barrera física entre ellos.

–Sí, hace horas. Por cierto, te he traído un regalo –Declan levantó una caja de cartón de una de la sillas.

–¿Un regalo? ¿Por qué? –Gwen miró la caja con cautela.

–Considéralo un regalo de boda.

–No quiero ningún regalo de boda.

–De acuerdo, pues considéralo una contribución a los gastos de la casa. Será mejor que siga trabajando –sin esperar a ver si Gwen lo abría, agarró su taza de café y la dejó sola.

La tostadora saltó, dándole la oportunidad perfecta para ignorar el paquete un poco más. Untó mantequilla y mermelada en la tostada y miró por la ventana. Las rosas necesitaban una poda y las malas hierbas habían surgido con fuerza. Tal vez ese día trabajara fuera para disfrutar del sol. Así no estaría tan cerca de Declan. Volvió a mirar la caja. Ni la forma ni el tamaño daban ninguna idea de su contenido. ¿Qué diablos le había comprado?

Pero no le interesaba. Ni lo más mínimo. Gwen dio otro mordisco a la tostada y volvió a mirar la caja. La curiosidad terminó por vencerla y tiró de la tapa para ver su contenido.

¡Era una lijadora eléctrica! Declan había comprado la más potente del mercado, haciendo que pareciera que la suya se había utilizado para construir el arca de Noé. Venía acompañada de una nota en la que se leía: *Para protegerte las manos.* Gwen vació el contenido de la caja y colocó cada pieza en la encimera. Cerca del fondo había otro paquete, éste de forma cilíndrica. La nota que lo acompañaba decía: *Para reparar el daño que ya te has hecho.*

Asombrada, Gwen retiró el papel y encontró un tubo de crema de aloe para reparar y nutrir la piel estropeada.

Exhalando un suspiro, Gwen miró la lijadora. No podía aceptarla.

–¿Te gusta? –preguntó Declan desde el umbral.

–Sabes que no puedo aceptarla.

–¿Por qué no? –sus palabras sonaron afiladas y frunció el ceño. Estaba claro que a Declan Knight no le gustaba que le dijeran que no–. Acostúmbrate, Gwen. Durante los próximos seis meses voy a formar parte de tu vida, y tú de la mía. Tal vez no comprendas lo que significa para mí conseguir ese fondo, pero créeme, el costo de la lijadora no es absolutamente nada comparado con lo que voy a conseguir a la larga.

–¿No podías haber comprado un modelo más barato?

–Por supuesto que sí. Pero, ¿por qué iba a hacerlo? Tenla de repuesto si quieres. A mí me da igual.

A Gwen no se le ocurrió ninguna respuesta adecuada. Estaba siendo demasiado orgullosa.

–Gracias –murmuró girándose. Pero Declan se había ido.

Lo escuchó por el pasillo, y luego oyó cómo recogía las tiras de papel viejo y las metía con rabia en una bolsa de basura. Gwen pensó que aquello iba a ser más duro de lo que había imaginado. Mucho más duro.

Declan había necesitado la mayor parte del día, pero por fin tenía las paredes preparadas. Hasta que Gwen tuviera tiempo para decorar aquella habitación, colgaría un par de tapices tejidos a mano que había comprado en el extranjero.

Apenas había visto a Gwen. Probablemente eso era algo bueno, teniendo en cuenta que se había pasado la mañana en camisón y bata. Una oleada de deseo le atravesó el cuerpo.

Había agradecido tener que hacer un trabajo físico para distraerse mientras ella dormía, o se hubiera sentido tentado de ir a reunirse con ella. Maldición, aquello se estaba complicando mucho. Lo que le había parecido la solución perfecta el viernes por la noche se había convertido en una red de complicaciones que no había previsto.

Si alguien le hubiera dicho una semana atrás que Gwen Jones le habría alterado la sangre, se habría reído en voz alta. Había renegado de ella en el momento en que recuperó el sentido común la mañana siguiente al funeral de Renata, el día después de haberse perdido en las suaves curvas del generoso cuerpo de Gwen.

Su cuerpo despertó ante el recuerdo de la suavidad de seda de su piel, de sus piernas enredadas en él. El recuerdo resultó al mismo tiempo emocionante y doloroso, y Declan no supo cómo enfrentarse a él. Después de tanto tiempo, todavía no había purgado aquel recuerdo, y así se lo hizo saber su cuerpo.

Disgustado consigo mismo, Declan se dispuso a recoger sus herramientas y a limpiar los últimos restos de suciedad como si su salud mental dependiera de ello.

Cuando por fin hubo terminado, giró los hombros para suavizar los nudos que se le habían formado en la espalda por el trabajo y dejó escapar un suspiro de satisfacción. Le había gustado manejar las herramientas. Seguía siendo la parte de su trabajo que más le gustaba. Herramientas. Declan frunció el ceño. Gwen no había querido aceptar la lijadora. Peor para ella, porque tendría que acostumbrarse a ello, y a él.

–¿Has terminado? –Gwen estaba en el umbral. Se había cambiado el camisón por unos pantalones vaqueros cortos y una camisa de manga corta. Llevaba un sombrero de paja en la cabeza, y a juzgar por el tono sonrosado de su piel, había estado trabajando fuera.

–Sí. ¿Dónde puedo tirar la basura?

–Dame, yo lo haré –Gwen avanzó hacia él y trató de quitarle la bolsa.

–No, sólo dime dónde puedo tirarla –insistió Declan.

Gwen no la soltó. Él le dio un tirón a la bolsa.

–¿Es que contigo todo tiene que ser una lucha?

Ella fue soltando los dedos uno a uno.

–A un lado de la casa hay un contenedor. En cuanto salgas lo verás –dijo con voz tirante.

Declan le agarró la muñeca con la mano que tenía libre y le dio la vuelta.

–¿Dónde está tu anillo? –preguntó malhumorado.

–En su caja. He estado trabajando en el jardín.

–¿No te pones guantes? –quedaba claro por la suciedad que tenía bajo las uñas que no.

–¿Y tú? –le espetó Gwen antes de retirar bruscamente la mano–. No creas que porque estemos prometidos puedes darme órdenes.

–Estaba pensando en tus manos. Por las fotos de la boda.

–Oh –Gwen extendió los dedos y los examinó de cerca–. No te preocupes, me aseguraré de que estén limpios.

Declan dejó la bolsa de basura y volvió a agarrarle la mano, examinándola tan detenidamente como había hecho ella. Deslizó el pulgar por sus dedos mientras valoraba el daño que se había hecho Gwen aquel día.

–Sí, hazlo –le dejó caer la mano como si fuera una patata caliente, agarró la bolsa y salió para tirar la basura. No debería permitir que ella le preocupara tanto, pero era más fácil decirlo que hacerlo.

Gwen dio un respingo al escuchar cómo se abría la puerta de entrada de golpe. Iba a ofrecerle algo de comer. Declan se había tomado los sándwiches que le había pasado por la puerta a la hora del almuerzo, pero un hombre de su tamaño seguro que tendría hambre a estas alturas.

Se acercaban a las seis en punto. Gwen miró a su alrededor por la habitación. Ella habría tardado una semana en haber quitado todo el papel. Declan lo había hecho en un día, y además muy bien.

–Haré que me traigan mis cosas mañana –dijo él a su espalda.

Gwen dio un respingo.

–¿No podrías silbar o algo así cuando te acercas?

Declan se inclinó para recoger la caja de herramientas y comenzó a desarmar el andamio que había montado.

–Guardaré estas cosas en el coche y luego me pondré en camino.

–Yo... eh... –Gwen sintió los nervios en el estómago. ¿Qué diablos estaba haciendo? No quería pasar más tiempo con Declan del absolutamente necesario, y sin embargo, ahí estaba, tratando de pedirle que se quedara a cenar.

–¿Tú qué? –preguntó con voz tensa, como si ya hubiera tenido bastante de ella.

–He sacado un par de filetes del congelador hace un par de horas. Me preguntaba si querrías cenar antes de irte.

Declan vaciló un instante antes de responder.

–Estoy un poco sucio. ¿Hay alguna posibilidad de que me pueda dar una ducha? Tengo ropa en el coche para cambiarme.

–La ducha no está instalada todavía, pero puedes darte un baño si quieres.

–Dame un par de minutos para que vaya a buscar mis cosas.

Gwen estaba abriendo los grifos de la bañera antigua y sacando del armario la toalla más grande que pudo encontrar cuando Declan entró en el cuarto de baño.

–Te he echado unas sales de baño. Sé cómo se sienten los hombros después de este tipo de trabajo, y te ayudará a deshacer los nudos.

–Gracias –Declan se sacó la camiseta por la cabeza.

–Discúlpame –Gwen salió corriendo hacia la puerta.

–¿Qué te ocurre? Como si no me hubieras visto semidesnudo antes.

«Y desnudo del todo», recordó Gwen sintiendo cómo se le sonrojaban las mejillas.

–Pensé que querrías un poco de intimidad.

Gwen escuchó a su espalda el sonido de la cremallera de sus vaqueros antes de que cayeran al suelo. «No te gires, no te gires».

Se giró.

Declan se inclinó para probar el agua y Gwen tuvo bastante. Salió de allí como si fuera una corredora olímpica. El débil murmullo de la risa de Declan atravesó la puerta cuando la cerró tras ella.

Filete con ajo y pimienta. No, con doble de chili. Era la única venganza que se le ocurría. Pero no pudo evitar apoyar la cabeza contra la puerta el tiempo suficiente como para escuchar su profundo suspiro de satisfacción y el suave sonido del agua rebotando contra las paredes de la bañera cuando se metió en ella.

¿En qué estaba pensando? La próxima vez se pondría a mirar por el ojo de la cerradura. Gwen revisó mentalmente sus planes de reforma e incluyó que instalaran cuanto antes la ducha. Cuando tuvieran en su poder el contrato Sellers y comenzara a recibir ingresos, sería lo primero de la lista. Incluso trabajaría horas extra de camarera si fuera necesario.

Cualquier cosa sería mejor que imaginárselo cada noche en la bañera.

Capítulo Seis

El aroma a sándalo y a lavanda atravesó las fosas nasales de Gwen cuando estiró el edredón sobre la cama de matrimonio que había llevado aquella mañana y que dominaba ahora en silencio el dormitorio principal. ¿Cómo conseguía Declan que su ropa de cama oliera así? La cama parecía nueva, pero Gwen se preguntó si habría dormido allí con alguien. Trató de no imaginarse su pelo largo y oscuro extendido sobre la almohada. Un leve gemido se le escapó entre los labios.

Gwen hizo un esfuerzo con contener su alocada imaginación. Nada de intimidad. Nada de repetir los errores del pasado. En aquel momento escuchó el ruido de la llave en la puerta.

Declan estaba en casa.

¿En casa? ¿Desde cuándo unía las palabras «Declan» y «casa» en la misma frase? Eso implicaba una permanencia que no iba a tener lugar. Al menos no con él.

–No tenías que haberte molestado en hacer la cama. Lo hubiera hecho yo.

Gwen se felicitó a sí misma en silencio. Esta vez ni siquiera había dado un respingo cuando Declan apareció a su lado.

–Ya lo sé, pero cuando llamaste para decirme que

ibas a trabajar hasta tarde pensé que podría echarte una mano. Te he dejado algo de cena en el horno.

–Te lo agradezco –Declan dejó el maletín sobre la cama y lo abrió–. Mira, te he traído algo por si quieres empezar a trabajar antes de la boda.

Gwen estiró la mano para recoger el DVD que le tendía.

–¿Y esto?

–Hoy he tenido la oportunidad de pasar por el hotel y he grabado unas imágenes en vídeo. Pensé que te gustaría verlo. Ya sabes, empezar a elaborar algunas ideas.

Gwen sintió una punzada de emoción. Le encantaba el trabajo de planificación. Poder visualizar lo que iba a hacer, colocar cada cosa en su sitio y empezar a buscar los muebles adecuados era lo que más le gustaba de su trabajo. Declan dejó caer otra cosa sobre la cama. Imágenes de celuloide, algunas en color y otras en blanco y negro, se desparramaron por el edredón.

–Éstas van desde los tiempos en que se inauguró el hotel hasta que lo cerraron.

Gwen se sentó en la cama y reunió las fotos. Estaba deseando verlas. Pasó las más recientes deprisa, recreándose cuando llegó a las antiguas.

–Éstas son increíbles. ¿Sabes si han conservado algo del mobiliario original?

–Sí, sobre todo en el vestíbulo del hotel y en el restaurante, y tengo entendido que hay un sótano enorme debajo del edificio.

–¿Crees que podría echarle un vistazo en algún momento?

–En los papeles que solicité viene un inventario. Por el momento servirá con eso. Cuando consigamos el contrato podrás mirar y buscar todo lo que quieras.

Gwen trató de disimular la decepción, pero lo que Declan decía tenía sentido. Era absurdo albergar esperanzas o emocionarse cuando tal vez ni siquiera consiguieran el trabajo. Y en ese caso, ¿qué ocurriría? ¿Qué sería de la boda que tenían delante de ellos? ¿Sería todo en vano?

–Todo va a salir bien, Gwen. Nadie más tiene nuestra experiencia combinada. Conseguiremos el contrato.

Declan era demasiado astuto. Al parecer le había leído el pensamiento.

–Sí, ya lo sé, pero no puedo dejar de preocuparme –a Gwen se le formó un nudo en la garganta. Sabía por propia experiencia la facilidad con la que las esperanzas y los sueños se destruían. Cómo una vida perfecta en todos los sentidos podía venirse abajo en un momento de descuido. Se sentía como Jonás. Todo lo que era importante para ella en la vida se había ido al traste: primero el matrimonio de sus padres, luego el abandono de su madre, después Steve… y lo peor de todo: Renata.

–Oye, no te preocupes –Declan se sentó en la cama a su lado–. Todo saldrá bien, ya lo verás.

Gwen se permitió recuperar algo de fuerza a través de sus palabras tranquilizadoras. Si pudiera apoyar la mejilla contra su hombro, inclinarse sobre él y absorber su confort…

Declan se levantó de la cama. El movimiento provocó que Gwen perdiera ligeramente el equilibrio y volviera a controlar sus alborotados pensamientos. Mejor que mejor.

Él se quitó la chaqueta del traje y la corbata de seda antes de desabrocharse los dos botones superiores de la camisa exhalando un suspiro de alivio.

–¿Un día duro? –preguntó Gwen, deseando al instante no haberlo hecho. Al parecer se estaba metiendo a toda velocidad en el papel de esposa devota.

–Sí, junta de directores. Tuve que ponerles al día de la investigación policial. No ha sido fácil –Declan dejó la chaqueta sobre la cama y saco una camiseta y unos vaqueros del mueble de cajones que estaba al otro lado del dormitorio–. Y luego les conté lo de la boda y lo del contrato del hotel Sellers.

–¿Cómo se ha tomado tu padre la noticia?

La risa breve de Declan cortó el aire.

–Todo lo bien que cabía esperar –aseguró apretando los labios–. No le gusta que le cambien los planes. Su visión de Desarrollos Cavaliere es muy distinta a la mía.

–Eso es horrible –a Gwen le vino a la memoria el recuerdo del rostro duro y cruel de su tía Hope cuando recibió a su sobrina de nueve años cuando ella llegó a Nueva Zelanda sola, confundida y rechazada por su madre, que había preferido quedarse con su última conquista, y por el hombre al que había considerado su padre. Durante todo el tiempo que vivió con ella, su tía Hope le llenó la cabeza con historias sobre los fallos de su madre: su incapacidad para tener un buen trabajo, para mantener una relación o para ser una buena madre. Gwen se había negado a replicar nunca.

–Tiene sus momentos –el comentario de Declan

la devolvió al presente. Él volvió a sentarse en la cama y la miró–. Pero desde luego, va a venir a la boda. ¿Te parece bien?

–¿Por qué no? –Declan ya le había dicho que quería que su familia estuviera allí. Sin embargo, la perspectiva de conocer al padre de Declan le provocó un nudo en el estómago. Su reputación como duro negociador lo precedía con letras mayúsculas. Nadie le tomaba el pelo a Tony Knight.

Declan se quitó los zapatos.

–Tal vez te haga algunas preguntas, eso es todo.

–¿Qué clase de preguntas?

–Dónde nos conocimos, cuándo… ese tipo de cosas.

Gwen se mordió el labio inferior. Le iban a hacer muchas preguntas de aquel tipo el próximo sábado.

–No somos unos desconocidos. Podemos decirle la verdad, que nos conocimos hace ocho años y medio pero que hacía mucho que no nos veíamos.

En cuanto pronunció aquellas palabras, lamentó haberlo hecho. Renata los había presentado con la emoción de una futura novia, insistiendo en que sus dos mejores amigos se llevaran bien.

Para Gwen, conocer a Declan Knight había supuesto un placer amargo. Desde el momento en que le estrechó la mano sintió un escalofrío sensual. Un escalofrío que había tratado de ignorar con valentía durante los siguientes seis meses, hasta aquella noche aciaga en la que el sentido común la había abandonado y ella había actuado por puro instinto. Un instinto que le había hecho tanto daño que Gwen prometió que nunca se permitiría volver a sentir nada tan profundo por ningún hombre.

–Es muy sencillo, Declan –dijo con voz pausada recuperando la compostura–. Nos conocimos a través de Renata. Y luego nos hemos vuelto a ver recientemente por trabajo. Todo es cierto, así que no creo que tengamos que entrar en detalles. Y ahora te dejaré para que te cambies –concluyó con voz tensa.

Declan la agarró suavemente del brazo.

–Todo va a salir bien, Gwen. No permitiré que pierdas este lugar pase lo que pase.

Ella lo miró. Declan tenía el ceño fruncido, los ojos oscuros nublados por la preocupación y la frente arrugada.

–Gracias, estoy bien –Gwen se apartó y cerró la puerta con cuidado tras de sí.

Declan la vio marcharse y sintió una ola de frustración ante el modo en que Gwen se inclinaba, casi se partía, y luego al instante de volvía fuerte como un junco al viento. Siempre hacía lo mismo, pensó. Asumía responsabilidades y las cargaba ella sola sobre sus estrechos hombros.

Declan se preguntó por qué era así.

¿Había comenzado el día que Renata murió en la montaña, o venía de más atrás? Sabía que Gwen seguía culpándose, Dios sabía que él también lo hacía en muchos sentidos. Declan tenía que haber estado con ellas aquel día, pero estaba demasiado ocupado con sus malditos negocios como para tomarse un día libre para ir a escalar con ellas. Sintió una punzada de dolor al recordar cómo partieron aquel día. Una de ellas era el día y la energía. La otra, la luna y los secretos. Eran la antítesis la una de la otra, y a pesar de sus diferencias, fueron las mejores amigas.

La siguiente vez que las vio fue cuando formó parte del equipo de rescate que fue a sacar a Gwen de la cornisa que le había salvado la vida. No le permitieron unirse al equipo que rescató el cuerpo de Renata, pero Declan estaba allí cuando la bajaron de la montaña.

Declan gimió y apartó de sí aquel pensamiento que sólo le producía dolor. Se quitó la camisa e hizo una bola con ella antes de lanzarla a una esquina soltando una palabrota. Tenía otras cosas de las que preocuparse en aquel momento.

Su padre no estaba contento. En absoluto. Declan tendría que convencer como fuera a Gwen durante los próximos cinco días para que fuera una novia ardiente y cariñosa para que su padre no pudiera echarle por tierra sus planes.

Declan se dejó caer en la cama boca arriba y se quedó mirando el techo. Podía oír a Gwen moviéndosc cn su dcspacho de la puerta de al lado.

Cerró los ojos y trató de visualizarla. Seguramente estaría revisando las fotos y el vídeo. Declan fue sintiendo cómo músculo a músculo se le iba aflojando la tensión que se le había ido acumulando durante todo el día. Una tenue sonrisa de satisfacción se le dibujó en el rostro. Al menos había conseguido hacer algo bien llevando aquellas fotos a casa. El brillo de entusiasmo de la cara de Gwen había sido como un regalo.

Declan suspiró y se levantó de la cama, estirando la colcha antes de cambiarse de ropa y colgar el traje en el armario que había al fondo del dormitorio. Qué curioso, aquel mueble no estaba allí cuando se marchó la noche anterior. Gwen debió haberlo colocado ella misma. Al parecer quería facilitarle las cosas.

Pero, ¿accedería a su próxima petición?

Por el momento, Gwen había apartado el proyecto del hotel en favor del suyo propio. La brocha que estaba utilizando para pintar la repisa de la ventana pendía inútil en su mano enguantada cuando Declan apareció de pronto en el salón.

Desde la posición que ocupaba en el suelo, podía ver sus largas piernas embutidas en aquellos vaqueros que se ajustaban a cada centímetro de su cuerpo como si estuvieran hechos a medida. «A cada parte de su cuerpo». El corazón le latió con fuerza contra el pecho.

–La cena se te habrá enfriado a estas alturas –comentó con al esperanza de que se marchara del salón.

–No pasa nada.

Gwen se puso de pie y se quitó los guantes que se había puesto como una concesión a los poco sutiles comentarios de Declan sobre sus manos.

–Iré a buscártela.

–No tienes por qué servirme, Gwen. Puedo ir yo mismo. Pero antes tengo que pedirte algo.

Su tono era muy serio y a Gwen le dio un vuelco al corazón.

¿Qué querría ahora? Había tomado posesión de su casa y de su vida. ¿Qué le quedaba?

–¿De qué se trata? –Gwen suspiró y se sentó sobre la funda que protegía el sofá contra el polvo.

–Tenemos que ser amantes.

–¿Cómo? –Gwen se puso de pie al instante–. De ninguna manera. Eso no forma parte del acuerdo –se cruzó de brazos con firmeza–. Por si no lo recuerdas, ya hemos pasado por eso. No funcionó entonces y por supuesto que no funcionará ahora –gruñó.

–No me has entendido. Siéntate.

–Preferiría seguir de pie por el momento, gracias –respondió ella con brusquedad.

–Volveré a empezar…

–Puedes empezar las veces que quieras, no voy a cambiar de opinión –Gwen se acercó a la ventana y miró hacia fuera sin ver nada mientras contaba varias veces hasta diez para tratar de calmarse.

–Antes de que te lances a mi yugular, déjame que te diga que no lo has entendido bien.

Gwen se giró y lo miró con ojos entornados.

–Entonces, ¿de qué se trata?

–¿Recuerdas que te comenté que mi padre seguramente iba a hacernos preguntas?

Gwen asintió.

–Él espera ver una pareja enamorada.

Gwen se quedó paralizada en el sitio. Tenía un mal presentimiento.

–¿Cuánto de enamorada?

–Totalmente –Declan inclinó la cabeza y se pasó una mano por la nuca–. Espera encontrarse con algo de verdad, y si lo que ve no es lo que espera, Connor me ha advertido que podría ponerme una demanda judicial para que no pueda acceder al fideicomiso.

–Pero el testamento de tu madre sólo dice que tienes que casarte, ¿verdad? No creo que especifique que tenga que ser amor eterno –Gwen escupió las últimas palabras, que le dejaron un sabor amargo en la boca.

Ella había comprobado el daño que hacían los sueños del «amor eterno» cuando la infidelidad de su madre destruyó el matrimonio de sus padres, y por ende el mundo entero de Gwen, cuando el padre que había conocido descubrió que ella no era su hija biológica.

–Mi padre es uno de los fideicomisarios. Va a luchar contra mí en este asunto a menos que le convenzamos de que es una unión por amor.

Gwen trató de ignorar el vuelco que le dio el estómago.

–¿Convencerle de que estamos enamorados? No, no puedo hacerlo.

–Mira, es sólo por un día. Justo después de la boda se va a Estados Unidos por trabajo. De hecho, tenemos suerte de que esté tan ocupado preparando su viaje. En caso contrario habría insistido en que cenáramos con él esta semana. Por favor, Gwen, es muy importante para mí.

–Por supuesto que sí. Tienes que controlar tu preciosa empresa –le espetó ella.

–Bueno, no olvidemos lo que consigues tú con todo esto. Desde luego no lo haces por amor.

Sus palabras cortaron el aire que había entre ellos como lo habría hecho un trozo de hielo que se le clavara dolorosamente entre las costillas, dejándola sin respiración y provocándole un escalofrío en el pecho. Declan había jugado la carta ganadora y lo sabía. Ella haría cualquier casa con tal de conservar la casa, cualquier cosa. Y si eso implicaba ser la radiante y enamorada prometida de Declan, lo sería.

–De acuerdo, lo haré –aseguró tragando saliva. Su voz se redujo a un susurro.

–Entonces será mejor que practiquemos un poco.

Con una sola zancada, Declan se colocó delante de ella e inclinó la cabeza hasta rozar sus labios con los suyos. Gwen sintió su cálida presión antes de que su cabeza asimilara sus intenciones. Abrió los labios en gesto de sorpresa y Declan le atrapó el labio inferior suavemente con el suyo, forzándola a responder.

Una súbita y poderosa ola de deseo la pilló de sorpresa. Comenzó en las plantas de los pies y la empujó hacia él. Gwen le posó los dedos sobre los duros músculos del pecho, sintiendo cómo se flexionaban bajo sus manos mientras Declan contenía la respiración.

Él la besó con más pasión, arrebatándole los sentidos. Con la misma eficacia con la que había invadido su casa, ahora invadía también su cordura, y Gwen se dejó llevar por la sensación aceptando que era incapaz de detenerlo.

Le recorrió con las manos el pecho y los hombros hasta enredárselas en el cuello. Declan llevaba el cabello suelto, y lo sintió como seda contra los dedos, mientras que sus labios parecían de terciopelo. Gwen lo besó a su vez con un deseo que había mantenido bajo llave durante ocho largos años. Impenetrable para cualquiera que no fuera Declan Knight. Un deseo que no había querido volver a sentir.

La boca de Declan le trazó un camino de pasión por la mejilla y la mandíbula. Le capturó el lóbulo de la oreja entre los labios y lo introdujo en el calor de su boca. Un pequeño grito de sorpresa la devolvió a la realidad. ¿Qué diablos estaba haciendo? Se apartó de sus brazos. Gwen tenía la respiración agitada y le resultaba imposible hablar. Declan dio un paso atrás. También respiraba con dificultad. Pero entonces le dirigió una mirada cargada de deseo. De deseo por ella.

Cuando Declan consiguió por fin hablar, lo hizo con voz grave y gutural.

–Si conseguimos hacer esto, creo que resultará bastante convincente, ¿no crees?

–Ni te imaginas cuánto –susurró ella sin aliento. Se dio la vuelta y salió del salón antes de que Declan pudiera atisbar las lágrimas que se le habían formado en los ojos.

Aquella noche Gwen se quedó muy rígida en la cama con las sábanas prácticamente intactas. Podía escuchar la respiración profunda de Declan, que indicaba que por fin se había dormido.

Por supuesto que dormía, tenía la promesa que necesitaba, y Gwen iba a tener que sacar fuerzas de alguna manera para poder cumplirla.

Capítulo Siete

Gwen se despertó con el ruido que estaba haciendo Declan por la cocina. Se llevó los dedos a los labios, recordando la textura e incluso el sabor de los de Declan.

Gwen gimió y se colocó boca abajo, dándole puñetazos a la almohada. Maldito fuera Declan por haberla besado, y maldita fuera ella por haberlo disfrutado.

Una llamada a la puerta con los nudillos precedió por segundos el sonido de los goznes al abrirse, y entonces el objeto de sus pensamientos, vestido de traje y listo para ir a trabajar, entró con una bandeja.

–El desayuno –dijo poniéndole la bandeja en el regazo–. Tenemos que hablar.

A Gwen no le gustaba cómo se estaba desarrollando aquello. La última vez que le había dicho eso, mira lo que había ocurrido. Su cuerpo respondió con su propia excitación ante el recuerdo, convirtiéndole los pezones en picos tirantes que se apretaban contra la suave tela de su camisón. Gwen se subió el edredón y lo colocó bajo los brazos para ocultar el comprometedor efecto que tenía sobre ella.

Declan tenía ojeras y unas arruguitas en los labios. Así que después de todo no había pasado tan buena noche. Si seguían a aquel ritmo, los dos estarían destrozados para el sábado. Declan estaba en lo cierto. Tenían que hablar.

–Siento haberte sorprendido anoche –comenzó a decir él mientras le pasaba una taza de té.

Gwen añadió un poco de leche.

–¿Sorprenderme? También me hiciste enfadar.

–Lo sé. No era mi intención. Para ser sinceros, ese beso no fue tampoco lo que yo esperaba.

¿Y qué había esperado?, se preguntó Gwen. Aunque mejor no saberlo, pensó agarrando la taza.

El sonido del móvil de Declan los interrumpió en aquel instante.

–Disculpa un momento –dijo abriendo el teléfono. A juzgar por su expresión, no se trataba de buenas noticias. Tras decir «luego te llamo», colgó y volvió a guardarse el móvil en el bolsillo.

–¿Malas noticias?

–Me temo que sí. Tengo que irme. Unos vándalos han provocado destrozos en una de nuestras obras. No creo que consiga solucionar esto antes de esta noche. ¿Te importa?

–¿Por qué debería importarme? –Gwen optó por la postura indiferente. Cuanto menos consciente fuera de lo que le había afectado el beso de anoche, mejor. Hablar de ello sólo serviría para prolongar la agonía.

–Hablaremos más tarde, ¿de acuerdo? –Declan ya estaba casi en la puerta.

–No te preocupes, no hay prisa –Gwen escogió una tostada de la bandeja con una indiferencia que estaba muy lejos de sentir–. Gracias por el desayuno.

Declan le dirigió una sonrisa rápida y arrebatadora.

–Vamos a arreglar esto.

Desapareció por la puerta y Gwen oyó cómo recogía el maletín de su dormitorio antes de dirigirse a la puerta de entrada.

Se recostó aliviada contra la almohada al escuchar cómo se cerraba la puerta de entrada. Se había ido. Una tregua.

La casa tenía un aire vacío y triste cuando Gwen llegó de una larga tarde de compras con Libby. Era tarde. El sol había caído en el horizonte como una bola de fuego. La luz gris del atardecer inundaba la casa. Declan no había llegado. Gwen pensó que resultaba extraño que no hubiera notado nunca con anterioridad lo grande y vacía que era la casa. Era como si Declan se hubiera expandido para invadirla con su presencia.

«No seas ridícula». Gwen sacudió la cabeza ante aquel pensamiento. Había bebido demasiado vino durante la comida con Libby. Dejó el bolso y el abrigo sobre la cama y se quitó los zapatos de tacón que había llevado para pasar la tarde con Libby. Sorprendentemente, su amiga había aceptado el súbito cambio de planes de la boda sin objeciones. Tal vez se debiera a que en realidad nunca había apreciado excesivamente a Steve.

Gwen se alegraba de haber decidido pasar aquella tarde con Libby, pero aunque el ejercicio de mantener la fachada de novia feliz había sido una buena práctica para el sábado, había resultado agotador. Le dolían las mejillas de haber forzado una sonrisa mientras Libby la obligaba a probarse el suave vestido de lino blanco. Le resultaba trabajo pensar que ella había estado alguna vez tan emocionada como su amiga con aquel elegante diseño. Parecía que hubiera transcurrido una vida entera.

Gwen salió descalza al pasillo para entrar en el cuarto de baño. Lo que necesitaba era un largo baño relajante. Abrió los grifos y vertió una buena cantidad del contenido de uno de los frascos de cristal, estremeciéndose al recordar que había hecho lo mismo para Declan tan sólo unos días atrás. Diablos, ahora no podía siquiera darse un baño sin pensar en él.

Se preguntó cómo le habría ido el día. El vandalismo y los robos eran los mayores problemas de las obras. Estaba claro que las cosas no habían salido bien, o a estas horas ya habría regresado. Para continuar con la conversación que se habían visto obligados a interrumpir por la mañana.

Gwen se bajó la cremallera del vestido y se lo quitó. Se inclinó para remover el agua del baño con mano indolente, aspirando profundamente el aroma relajante a jazmín que había vertido en el agua. No estaba de humor para soportar la dura luz del cuarto de baño, así que decidió encender velas. Las tenía de muchas formas y tamaños.

«Oh, sí, así está mucho mejor». Con la tenue luz reflejada en el espejo ligeramente empañado, Gwen sintió cómo sus preocupaciones iban desvaneciéndose casi por completo. Se quitó rápidamente la ropa interior de encaje, se recogió el pelo con una horquilla en lo alto de la cabeza y se metió en la bañera muy despacio. Cerró los grifos, reclinó la cabeza y cerró los ojos, disfrutando de la paz y del silencio.

Declan detuvo el coche en la entrada de casa de Gwen y apagó el motor. Dios, qué cansado estaba. Nada, pero nada, le había salido bien aquel día. Tenía sus sospechas respecto a quién era el responsable del vandalismo cometido contra la madera importaba por la que había tenido que pagar un ojo de la cara, pero convencer a los oficiales que estaban a cargo de la investigación era harina de otro costal.

Y luego estaba Gwen.

El recuerdo del beso que se habían dado la noche anterior le plagaba los sentidos, tensándole los músculos y provocándole oleadas de calor. Desde luego no esperaba aquel tipo de reacción, ni por su parte ni por la de ella. Todavía podía ver sus ojos mirándolo acusadores antes de salir del salón la noche anterior, pero tan llenos de deseo como los de Declan.

Nada de intimidad física. No había hecho otra cosa que recordárselo constantemente la noche anterior mientras limpiaba la brocha que Gwen había dejado tirada. Y todo porque él había violado los términos de su acuerdo.

Declan había pensado sinceramente que no supondría ningún problema adherirse a aquella norma en particular, pero de pronto su cuerpo le urgía a que enviara a la basura su acuerdo y propusiera uno nuevo. Uno que le concediera el derecho de explorar el potencial que sabía que había entre ellos. Sus labios se curvaron en una sonrisa irónica. Gwen nunca aceptaría un trato así.

Declan se negaba a admitir que esta vez hubiera sido demasiado ambicioso o que podría tener razón. La vida era algo más que caminar con aplomo sobre seguro. A veces había que asomar la cabeza y arriesgarse. Y él sabía por dónde iba a empezar aquella noche. Con Gwen.

Declan entró en silencio en la casa. ¿Se había ido ella a la cama ya? No, no era tan tarde, eran sólo las ocho en punto. Captó la tenue luz del cuarto de baño y aspiró el aire con gesto desconfiado, reconociendo la mezcla de aromas de las velas y el olor a flores que identificaba completamente con Gwen. El sonido mudo del agua cayendo en la bañera se filtraba por el pasillo.

La visión de Gwen dentro del agua, con su piel suave bañada por la luz dorada, se le presentó ante los ojos y el deseo se le clavó como si tuviera garras. Todas las terminaciones nerviosas de su cuerpo le pedían que entrara en el baño y la tomara en brazos, cálida y húmeda, y la depositara en la cama para cambiar irrevocablemente los términos de su acuerdo. Dejó escapar un suspiro e hizo un esfuerzo por controlar sus instintos. No podía permitirse dejarse llevar por aquella fantasía. Había demasiadas cosas en juego.

Declan dejó el maletín y el ordenador portátil en su habitación y enfiló por el pasillo para dirigirse a la puerta de entrada, cerrándola con fuerza tras él. Volvió al coche, pero entonces vaciló un instante. No, conducir no era una buena idea teniendo en cuenta su actual estado de ánimo. Sacó el teléfono móvil y marcó unos números.

–Mason, necesito una copa, y probablemente más de una. Recoge a Grab y nos vemos en el bar de Joe dentro de media hora.

Sin esperar respuesta, colgó el teléfono y enfiló a pie por el camino peatonal. A aquel paso llegaría a Newmarket enseguida y con un poco de suerte habría agotado algo de la energía que rugía dentro de él como un tigre enjaulado. Y si no funcionaba, siempre podría enzarzarse a golpes con alguno de sus hermanos.

Gwen se sentó de golpe. ¿Era la puerta de entrada? Escuchó cuidadosamente, pero no oyó nada. El agua de la bañera se estaba enfriando. Era hora de salirse. Se levantó del baño y se envolvió en una toalla grande antes de abrir la puerta del baño.

–¿Declan? ¿Eres tú?

No hubo respuesta. Extraño. Su maletín asomaba ligeramente hacia el pasillo desde el interior de su cuarto. Gwen salió al pasillo y se dirigió a su despacho, desde donde podía ver directamente la entrada. Sí, el coche de Declan estaba allí. Pero, ¿dónde estaba él?

Gwen se metió en su dormitorio y cerró la puerta, decidida a que no la pillara desnuda cuando volviera a verlo. Se puso el camisón y después la bata, atándola con firmeza a la cintura. Tras deslizar los pies en sus zapatillas con forma de monstruo que Libby le había regalado a modo de broma en su último cumpleaños, se sintió lo suficientemente invulnerable y poco glamurosa. Un escudo necesario para enfrentarse a Declan Knight.

Para cuando hubo vaciado la bañera y colgado el vestido, ya había llegado a la conclusión de que Declan no estaba en casa. Debió haber entrado un instante cuando ella estaba en el baño y luego se había marchado otra vez. Bostezó sin darse casi cuenta y decidió saltarse la cena y acostarse pronto.

Una risa, seguida de un «sh» prolongado despertaron a Gwen varias horas más tarde. Escuchó el ruido de una llave en la puerta de entrada

–Gracias, chicos. Ya puedo arreglármelas solo.

¡Declan! Era su voz, aunque estaba un poco perjudicada. Una sonrisa tenue cruzó los labios de Gwen cuando escuchó una voz masculina diciéndole con firmeza que iba a acompañarle hasta su habitación. A juzgar por su tono, tampoco estaba en una situación mejor. Gwen asomó la cabeza por la puerta del dormitorio.

–¿Qué diablos habéis estado haciendo? –preguntó.

Connor estaba en la puerta de entrada con expresión derrotada.

–No es culpa mía. Intenté detenerlo –alzó las manos en gesto de rendición.

–¿Ah, sí? –la expresión asombrada de Declan era todo un poema. Gwen hizo un esfuerzo por contener una sonrisa mientras el hombre que debía de ser

Mason, el hermano mayor de Declan, apoyó la espalda contra la pared y se dejó caer hasta sentarse.

–Hola, Gwen, vaya, eres muy guapa –Mason sonrió de lado.

–Hola –respondió ella. Cielos, ¿cómo iba a sacar de su casa a tres Knight?

–No te preocupes por Mason. Yo le levaré a casa –Connor le pasó el brazo por el hombro a Declan–. Voy a dejar a éste acostado y nos pondremos en camino.

–Yo te ayudaré –Gwen se colocó al otro lado de Declan y le pasó el brazo por la cintura–. ¡Por todos los santos! –exclamó al aspirar el olor que emanaba–. ¿Se ha bebido una destilería entera?

–Más o menos –la irónica respuesta de Connor indicaba su desaprobación.

Llevaron juntos a Declan a su dormitorio y lo sentaron en el extremo de la cama. Mientras Connor lo sujctaba. Gwen retiró la ropa de cama por un lado. Tras quitarle a su hermano los zapatos, la chaqueta, la camisa y los pantalones, Connor lo colocó boca abajo y lo tapó con el edredón.

–Yo creo que dormirá toda la noche. Está más mono cuando duerme, ¿verdad?

Gwen no lo hubiera creído de no haberlo visto con sus propios ojos, pero sí, Declan ya estaba profundamente dormido. Aunque «mono» no era la primera palabra que a ella le venía a la mente.

–Parece que tienes experiencia en esto –comentó.

–Sí, la tenemos todos. Tuvimos que practicar con el viejo cuando mamá murió.

Gwen se acercó con él hasta donde estaba Mason todavía sentado y hablando solo.

–Vamos, Mason –dijo Connor dándole un puntapié suave–. Es hora de que tú también te vayas a casa –le tendió la mano a su hermano y tiró de él.

Gwen observó cómo Connor controlaba a un Mason tambaleante hasta meterlo en el taxi que esperaba en la entrada. Luego cerró la puerta de la casa.

Arrugó la frente con gesto de preocupación. ¿Estaría bien Declan? ¿Y si no podía respirar correctamente tumbado boca abajo? Gwen suspiró. Tendría que ir a comprobar que estaba bien o no lograría dormir en toda la noche.

La luz del pasillo lo iluminaba. Declan se había colocado de costado y había bajado el edredón, dejando al descubierto los músculos del pecho y de los brazos. Gwen entró en el dormitorio de puntillas y se quedó al lado de la cama para intentar escuchar su respiración. Pero no oyó nada. Se acercó más y colocó el rostro casi pegado al suyo. Un brazo robusto la agarró de la cintura con inesperada firmeza y tiró de ella hacia la cama hasta colocarla encima de su cuerpo. Gwen trató de zafarse de su brazo, pero era como una banda de acero. Se revolvió un poco, y descubrió al instante que había sido una mala idea. El brazo de Declan se deslizó hacia su vientre y la estrechó con fuerza contra sí. Le había metido una mano bajo el camisón y le cubría con indolencia un seno. A través de la bata y de el edredón, Gwen sintió el calor que emanaba del cuerpo de Declan.

Trató de girar la cabeza. ¿Estaba despierto? No, la respiración acompasada indicaba que no. Parecía que iba a quedarse así toda la noche. Gwen trató de ignorar la carga de placer que le producía su contacto en el seno.

–¿Declan? –susurró. No obtuvo más respuesta que su cálida respiración contra la nuca–. ¿Declan? –repitió un poco más alto.

Parecía que funcionaba, estaba moviendo la mano. Pero por desgracia, no la estaba apartando del cálido globo de su seno. Había deslizado el pulgar para acariciarle el pezón, y aquel suave movimiento creó una espiral de tensión en su interior. Gwen contuvo un gemido en los labios mientras aquella dulce sensación le atravesaba el cuerpo.

Hacía mucho tiempo que no se sentía así. Demasiado, y sin embargo se había prometido a sí misma que no volvería a suceder. Pero resultaba inútil tratar de explicárselo al insistente latido de deseo que le golpeaba las venas, provocando que todo su interior se fundiera de deseo. Deseo por él.

Los últimos ocho años se desvanecieron, como si nunca hubieran existido. En un abrir y cerrar de ojos, Gwen fue transportada al momento en el que fue al apartamento que Declan tenía en el centro, preocupada por lo mal que lo había visto desde el accidente.

Preocupada de que pudiera hacer algo estúpido, que intentara hacerse daño a sí mismo. Era la culpa lo que la había llevado hasta allí. Renata había muerto por su culpa. Tendría que haber detenido a su aventurera amiga. Pensó absurdamente que Renata la escucharía como si fuera la voz de la razón cuando sugirió que regresaran. Pero se equivocó.

Totalmente. Y luego, cuando Renata la había necesitado más que nunca, cuando necesitó de su fuerza para asegurarlas a ambas en el minúsculo saliente, volvió a fallarle.

Las líneas de dolor que cubrían el rostro de Declan cuando le abrió la puerta le habían dado el ímpetu que necesitaba para consolarle. Gwen abrió los brazos y él se lanzó a ellos como si estuvieran hechos el uno para el otro. Ya entonces ella supo que no estaba bien. Que estaban jugando con fuego. Tentando al destino. Pero los dos necesitaban olvidar, aunque sólo fuera durante unas horas, la horrible pérdida que habían sufrido.

Cuando sus labios se encontraron, el deseo se inflamó con una voracidad que Gwen no había experimentado nunca antes. Pero fueron las lágrimas saladas que resbalaron por las mejillas de Declan lo que la venció. En aquel momento hubiera hecho cualquier cosa, lo que fuera, para aliviar su dolor.

Aquella primera vez ni siquiera llegaron al dormitorio. Declan la pegó contra la pared, arrancándole las medias y levantándole la falda hasta que tuvo acceso al centro de su cuerpo. Y ella se lo permitió, le dio la bienvenida. Enredó las piernas alrededor de sus caderas y le susurró palabras dulces de ánimo mientras ambos alcanzaban un éxtasis veloz y casi perverso. Se quedaron allí, enganchados el uno en el otro, apoyados contra la pared, temblando por los efectos de su acto amoroso. Aquella primera vez había creado una adicción. Una droga que necesitaban purgar de sus cuerpos haciendo el amor durante toda la noche. Hasta que la lóbrega honestidad de la mañana los separó. Nadie la había tocado nunca como él, ni le había hecho el amor con semejante abandono salvaje. Nadie le había proporcionado tanto placer, ni tanta desolación. No podía hacerlo. Otra vez no. No conseguiría sobrevivir.

–¡Declan! Tienes que soltarme –la voz le temblaba por la incertidumbre.

–Sólo quiero abrazarte... estoy tan solo que... –Declan arrastró las palabras hasta que se desvanecieron.

Pero debió de haber algo en el tono de Gwen que finalmente atravesó su cerebro y él soltó el brazo lo suficiente como para que Gwen pudiera soltarse y arrastrarse hasta el borde de la cama. Se puso de pie aunque le temblaban las piernas y se metió rápidamente en su dormitorio, cerrando la puerta y apoyándose contra la gruesa madera.

Dejó escapar el aire que tenía retenido en los pulmones. Declan estaba borracho, razonó. No tenía nada que temer de Declan Knight. Su vida, sus planes, su seguridad... todo estaba a salvo.

Pero, ¿y su corazón?

Capítulo Ocho

A Declan le latió con fuerza el corazón mientras miraba por el ventanal de la sala de baile. No podía evitar apreciar lo adecuado que resultaba que, teniendo en cuenta el amor de Gwen por las casas históricas, hubiera decidido casarse en una de las más bellas de Auckland. La atmósfera despedía un aire de permanencia, longevidad y supervivencia contra todo pronóstico. Y aquel matrimonio iba a necesitar toda la ayuda del mundo si quería sobrevivir a los seis meses necesarios para satisfacer a su padre.

Mason se movía nerviosamente a su lado, pero Connor le reprendió casi en silencio. Declan disimuló una sonrisa. Resultaba extraño que el benjamín de la familia fuera el encargado de mantenerlos a raya aquellos días. Se le borró la sonrisa al recordar la última vez que Connor había tenido que hacerlo, y las condiciones en las que él se encontraba. Tendría que haberse quedado a dormir en casa de Mason. Así habría evitado que Gwen le pusiera delante a la mañana siguiente un brebaje para la resaca y después saliera al jardín, donde se pasó el resto del día trabajando. Cuando Declan se marchó a trabajar, ella estaba en la parte de atrás de la casa y ni siquiera le devolvió el saludo de despedida, y cuando volvió a casa Gwen ya estaba dormida. O fingía estarlo.

–No es demasiado tarde para echarse atrás, Declan –le susurró Mason devolviéndolo al momento presente.

–Sí lo es –aseguró Connor con voz pausada–. Ella ya está aquí.

El latido del corazón de Declan se intensificó cuando se giró y se encontró con la visión de la puerta. Libby y otras jóvenes que hasta el día anterior no conocía estaban atusando el vestido de Gwen por delante y por detrás antes de ocupar sus posiciones delante de ella.

El pianista tocó los primeros acordes de una conocida canción de Shania Twain, y Gwen comenzó a avanzar lentamente hacia él. Hacia el comienzo de su matrimonio.

Una punzada agridulce de dolor atravesó a Declan al recordar a su novia anterior. Una novia que nunca consiguió llegar al altar. Retrasaron varias veces la boda, encantados con la idea de vivir despreocupadamente y de estar enamorados. Entonces, ¿por qué no habían fijado una fecha para su boda? ¿Por qué habían retrasado en tantas ocasiones la confirmación de su promesa de amor?

Declan observó a Gwen mientras se acercaba.

Durante todos aquellos años había apartado de sí los pensamientos que la incluían, de lo que habían hecho, diciéndose a sí mismo que era por el dolor del recuerdo de Renata. Por el hecho de que si no hubiera sido por ella, Renata no habría ido a escalar aquel día, no habría tomado una mala decisión ni se hubiera resbalado, tirando a Gwen con ella montaña abajo y sacrificando su vida para salvar la de su amiga. Una amiga que ahora estaba a su lado como su novia.

En apariencia, Gwen estaba serena y pálida, aunque el leve temblor de las flores blancas y púrpuras evidenciaba lo contrario. Estaba preciosa.

De pronto, una verdad aterradora atravesó la mente de Declan. A pesar de todo, seguía deseándola tanto como aquella noche aciaga en la que Gwen se convirtió en el único rayo de luz y esperanza en los días oscuros tras el accidente. Aquel escalofriante descubrimiento le atravesó el cuerpo, provocando que Mason le preguntara en voz baja:

–¿Estás bien?

No, no estaba bien, ni tampoco estaba preparado para hacer frente a la realidad de aquel deseo que le atravesaba las venas y que le inundaba la mente con el recuerdo de Gwen entre sus brazos. Del sabor de sus labios. Tenía que contenerse mientras durara la ceremonia para no asustarla.

–Amigos, familia, estamos aquí reunidos...

Declan dejó volar su imaginación durante la introducción del reverendo mientras se concentraba en su novia. Se había recogido el dorado cabello en un elaborado peinado de rizos y ondas en la parte superior de la cabeza. Acostumbrado a su cabello suelto y libre, aquel peinado le hacía parecer a ojos de Declan remota, intocable y demasiado controlada... aunque el pecho le subía y le bajaba con respiraciones rápidas.

–Si hay alguien que tenga algo que declarar en

contra del matrimonio de estas dos personas, que hable ahora.

«Que lo intente», les retó Declan en silencio. Sintió cómo Gwen se ponía tensa mientras el reverendo se paraba durante lo que pareció una eternidad. Gwen bajó las pestañas, ocultando su expresión. ¿Acaso temía que alguien impidiera la boda? Tal vez esperara en lo más profundo de su corazón que Crenshaw se diera cuenta de su error e irrumpiera de pronto en la ceremonia.

Declan aspiró con fuerza el aire y permitió que sus sentidos se calmaran con la fragancia floral de Gwen. Pero le quedó un sabor amargo en la boca mientras una pregunta se le formaba en la parte de atrás de la cabeza, suplicando una respuesta.

¿Estaba todavía enamorada de Crenshaw?

–Ahora os pregunto a vosotros dos, ¿hay alguna razón por la que creáis que esta boda no sería legal? –preguntó el reverendo muy serio. Cuando Gwen pronunció un «no» apenas audible y Declan hizo lo mismo con más determinación, sonrió con calidez–. Entonces sigamos adelante con el procedimiento. Declan, ¿aceptas a Gwen como esposa para vivir juntos como marido y mujer, amarla, honrarla, respetarla y renunciar a otras personas, en la salud y en la enfermedad todos los días de tu vida?

Gwen alzó los ojos para mirarlo. Una nebulosa cegaba su claridad. «Renunciar a otras personas». Como a Steve Crenshaw. ¿Era en eso en lo que estaba pensando?

–Sí, quiero –Declan alzó la voz para que resonara

por toda la sala, para que no le quedara a nadie ninguna duda respecto a aquella boda.

El reverendo se giró hacia Gwen y repitió las mismas palabras. Ella permaneció quieta como una estatua antes de decir en voz baja:

–Sí, quiero.

–Declan, por favor, toma a Gwen de la mano –le pidió el reverendo.

Ella le pasó las flores a Libby y se giró ligeramente para mirarlo. A Declan le dio un vuelco el corazón. Estaban a punto de conseguirlo. Podía olerlo. Un temblor recorrió el cuerpo de Gwen cuando él le enredó sus dedos fríos alrededor de los suyos. Repitiendo las palabras del reverendo, Declan pronunció sus votos sin apartar ni un instante la mirada de los ojos de Gwen.

–Yo, Declan, te tomo a ti, Gwen, como esposa en lo bueno y en lo malo, en la riqueza y en la pobreza, en la salud y en la enfermedad para amarte y respetarte hasta que la muerte nos separe. Lo prometo.

A Gwen le resbaló una lágrima por la mejilla como un diamante líquido. Le agarraba con tanta fuerza la mano que empezaron a dolerle los dedos. Pronunció sus votos en voz baja y temblorosa, arreglándoselas para no mirarlo a los ojos mientras lo hacía. Declan sintió cómo Mason colocaba las alianzas de boda en el libro del reverendo. Un murmullo en sus oídos le hizo ver que los estaba bendiciendo. Ya casi. Estaban a punto de conseguirlo. Reacio a romper la tenue conexión que había entre ellos, Declan le apretó suavemente la mano a Gwen antes de deslizarle el anillo en el dedo.

–Te entrego este anillo como símbolo de nuestros votos y me entrego a ti con todo lo que soy y todo lo que tengo –un tirón interior hizo que la voz se le volviera ronca al pronunciar aquellas últimas palabras. Un tirón que Declan ignoró.

Gwen lo miró asombrada y con las mejillas teñidas de rosa. Habían dejado de temblarle las manos cuando le puso a Declan su anillo. Recordó que sólo una semana atrás había hecho justo lo mismo. Una espiral de tensión le hirió el estómago mientras le deslizaba el anillo y pronunciaba en tono susurrado las palabras que finalmente los unían. *Al menos durante los próximos seis meses*, pensó.

–Yo os declaro marido y mujer. Felicidades, señor y señora Knight –el reverendo sonrió a los asistentes y les invitó a aplaudir. Luego se inclinó hacia Declan–. Ya puedes besar a la novia.

Por fin. Lo habían conseguido.

Declan se acercó a Gwen y con infinito cuidado le deslizó una mano por la nuca. Ella inclinó la cabeza hacia la suya. Declan le acercó los labios y los moldeó contra los suyos, incitándolos suavemente a que se abrieran y le permitieran acceso al delicado refugio de su boca. Lo habían conseguido.

Gwen era suya.

Gwen apretó la pluma con los nudillos blancos y deslizó la punta por el certificado de matrimonio. Casados. No se lo podía creer. Le dolía la cara por el esfuerzo de sonreír para el fotógrafo. Si volvía a pedirle una vez más que mirara a Declan con adoración, le estrellaría la cámara contra uno de los arreglos florales.

Dos horas más tarde, Gwen decidió que el convite estaba resultando muy bien. Y lo que era más importante, nadie había comentado la rapidez de aquel enlace ni el repentino cambio de novio. De hecho, todo el mundo parecía adorar a Declan. Ni siquiera el padre de Declan, con su aspecto adusto, había sido capaz de encontrar un fallo en su fachada. Tony Knight no le había parecido a Gwen la pesadilla patriarcal que Declan había retratado, pero estaba claro que los Knight eran expertos en disimular sus verdaderos pensamientos. Su inicial mirada de piedra se había derretido cuando le dio a Gwen la bienvenida a la familia con un abrazo y le dijo:

–Así que en esto era en lo que andaba mi chico. Espero que seáis los dos muy felices.

El trío de cuerda que estaba en la esquina comenzó a tocar un vals. Declan apareció a su lado y le tomó la mano.

–Creo que éste es nuestro baile –la llevó hasta la pista de baile y la estrechó entre sus brazos–. Relájate, que parezca que estás disfrutando de esto. Enseguida terminará todo.

Gwen trató de hacer lo que le decía, pero con una mano descansando sobre el hombro de Declan y la otra en la suya, le resultaba difícil.

El traje estilo retro que llevaba puesto Declan, con su chaqueta oscura Lara y el chaleco, enfatizaban su altura y su fuerza. Llevaba el cabello largo recogido hacia atrás, y tenía un aspecto invencible.

Para ser tan grande como era, Declan bailaba muy bien. Gwen se movió con él al ritmo de la música sin pensar ni un instante en la mecánica de lo que estaban haciendo. Observó por el rabillo del ojo cómo Mason sacaba a bailar a Libby y después Connor, tras detenerse un instante a besar a su esposa, Holly, hacía lo mismo con Mae. Gwen gruñó para sus adentros. Al parecer no iba a poder escapar de allí pronto, ya que estaban llevándose a cabo todas las formalidades tradicionales. Dejó escapar un suspiro.

–¿Ya estás harta? –le susurró Declan al oído.

–Sí.

–Entonces escapemos de aquí –Declan la tomó de la mano y se abrieron paso entre la multitud congregada en el salón de baile para dirigirse hacia la puerta.

–Ah, no, de eso nada –Mason interceptó a su hermano–. No vas a sacarla de aquí hasta que todos hayamos cumplido con nuestro deber, hermano.

–Mason... –protestó Declan moviéndose para evitar las intenciones de su hermano.

–No pasa nada –Gwen le puso la mano en el brazo para aplacarlo–. Por muchas ganas que tengamos de escapar, a la gente le resultaría extraño que nos fuéramos tan pronto.

–¿Estás segura? –Declan entornó los ojos.

–Por supuesto. No pasa nada –Gwen permitió que Mason la alejara de su recién estrenado marido.

Resultaba extraño cómo se parecían los tres hermanos y lo distintos que eran al mismo tiempo. Gwen tuvo que mantener el tipo mientras bailaba con Mason y luego con Connor antes de que Declan la reclamara.

–¿Te arrepientes? –le preguntó Declan mientras daban vueltas por la pista de baile.

–¿Puedo permitirme ese lujo? –contestó Gwen.

Declan se rió forzado y miró a su alrededor.

–Papá parece contento. Tiene planeada una sorpresa para nosotros esta noche. Me matará si se entera de que te lo he contado, pero creí que sería mejor que estuvieras sobre aviso.

–¿Una sorpresa? –A Gwen le dio un vuelco el estómago. Tenía la sensación de que aquello no iba a gustarle.

–¿Te dice algo la expresión «suite nupcial»?

–Oh, no.

–Sí. Cuando supo que no teníamos pensado ir a ninguna parte, le sorprendió que no hubiéramos organizado al menos un fin de semana de luna de miel. Así que lo preparó por nosotros.

Gwen tragó saliva.

–¿No pudiste hacerle cambiar de opinión?

–Ni lo intenté. Tenemos que hacer que esto parezca un matrimonio normal, por tu bien y por el mío.

–Sí –Gwen sintió una opresión en el pecho ante aquel recordatorio–. ¿Y qué pasa con nuestras cosas? ¿También ha penado en eso?

Gwen se preguntó si tendría que verse obligada a pasar el fin de semana vestida de novia.

–No te preocupes. Me di cuenta de ello cuando Libby y tú salisteis del ensayo, así que le pedí a Mae que fuera a tu casa, recogiera algunas cosas para ti y las enviara al hotel –Declan volvió a mirar a su alrededor–. Creo que ahora ya nos permitirán marcharnos. ¿Estás lista para irte?

–Sin duda –la vehemencia con la que Gwen respondió provocó que Declan levantara una ceja, pero

Gwen ignoró el gesto y se dirigió a la mesa principal a recoger su ramo.

–¿Más tradiciones? –preguntó con tono sorprendido.

–Sólo para mantener las apariencias –respondió ella.

–¡Mirad! ¡Se marchan! –gritó alguien desde un extremo de la pista de baile.

Gwen no pudo evitar reírse al ver a todo el mundo ocupando su posición para agarrar el ramo. Se puso de espaldas y lanzó las flores haciendo un arco en el aire.

Un gemido colectivo de desaprobación le hizo darse la vuelta para mirar a la gente. Declan sonreía de oreja a oreja mientras Mason hacía juegos malabares con el ramo con aspecto de desear que se lo tragara la tierra.

–Aprovechemos el momento para irnos –dijo Declan agarrando a Gwen de la mano para salir juntos. La limusina blanca que había llevado a la novia y a sus damas de honor esperaba pacientemente para llevarlos al hotel. Detrás de ellos se escucharon gritos de felicitación y una lluvia de pétalos cayó sobre ellos mientras Declan ayudaba a Gwen a entrar en el coche. Ella saludó por última vez a través de la ventanilla trasera del coche mientras se alejaban. Su vida no volvería a ser la misma nunca. Todo había cambiado para siempre.

Declan observó en el interior suavemente iluminado del coche a la silenciosa criatura que ahora era su esposa. Una súbita e inesperada puñalada de orgullo y de posesión lo atravesó de golpe.

–¿Te gustaría tomar un poco de champán? –preguntó.

–Sí. Creo que eso sería buena idea.

Declan abrió la botella que había en la parte de atrás de la limusina a toda prisa. Tanto Gwen como él necesitaban relajarse, y tal vez aquello los ayudara.

–¿No tienes curiosidad por saber dónde vamos?

–¿Supondrá eso alguna diferencia? –Gwen seguía mirando por la ventana. Sólo rompió su concentración cuando le aceptó una copa de champán. Sus dedos se rozaron y Declan se quedó sorprendido ante la ola de electricidad que lo recorrió. Le gustó la sensación. Para ser sincero, de hecho hizo algo más que gustarle. Su esposa se estaba convirtiendo en una adicción. Aquella certeza suponía una complicación inesperada.

–No –la voz de Declan sonó ruda. Dio el nombre del exclusivo hotel del pueblo en el que Tony Knight había hecho la reserva para ellos–. Ha reservado una suite, así que tendremos sitio de sobra.

Gwen siguió sin responder. Declan sintió una punzada de incomodidad que le recorrió la espina dorsal. Ella también iba a sacar algo de todo aquello: su casa y la promesa de un contrato de trabajo cuando se confirmara el proyecto Sellers. Entonces, ¿por qué estaba tan fría? Ya habían hecho lo que tenían que hacer. Podría empezar a relajarse.

Apenas había tráfico aquel sábado por la noche, así que llegaron enseguida al centro. El portero del hotel abrió la puerta del lado de Gwen y la ayudó a salir.

–Buenas noches, señor y señora Knight.

Declan sonrió y le pasó el brazo a Gwen por la estrecha cintura, ignorando el modo en que su cuerpo se puso tenso con su contacto. El conserje les sonrió y tras rellenar los trámites de entrada los acompañó él mismo a la planta número diecisiete que daba al puerto. Luego abrió la botella de champán que había enfriándose en el hielo, sirvió dos copas y se marchó.

–Con todo este champán, tal vez deberíamos estar celebrándolo –comentó Declan.

–¿Así es como celebras tú tus acuerdos de negocios? ¿Con champán francés? –preguntó Gwen con una sonrisa irónica.

–No, pero éste es un acuerdo muy especial, ¿no crees? –Declan se acercó al ventanal–. Este puerto es magnífico. Tiene gracia que vivamos y trabajemos aquí, pero apenas lo disfrutemos.

–La mayoría de la gente no tiene tiempo.

–Ahora podemos sacar tiempo –Declan hizo un gesto que abarcaba la amplia suite–. ¿Qué otra cosa tenemos que hacer?

A Gwen se le sonrojaron las mejillas. ¿Estaría pensando lo mismo que ella? Declan se metió las manos en los bolsillos del pantalón antes de cometer alguna estupidez como abrazarla. Ella ya había dejado claro que no quería que la tocara.

–Tengo que quitarme este vestido de una vez –dijo Gwen con brusquedad tirando de la falda. Se dio la vuelta y salió del dormitorio envuelta en seda, cerrando firmemente la puerta tras ella. El inconfundible sonido del cerrojo provocó una risa en Declan, pero se contuvo. Aquello no era un asunto de risa, aunque tenía que admitir que le encantaba cuando Gwen se ponía así de estirada.

De hecho... se sintió atravesado por una conmoción mientras trataba de volver a poner aquella idea en el lugar en el que estaba, pero unos dedos fríos continuaban apartando pieza a pieza el escudo de protección que tan cuidadosamente había construido alrededor de su corazón tras la muerte de Renata. Declan se dejó caer pesadamente en el sofá de piel. Le temblaban las manos cuando se llevó la copa a los labios y se derramó el líquido dorado por la chaqueta. Colocó muy despacio la copa en la mesita.

Había conseguido lo imposible.

Se había enamorado de su esposa.

Capítulo Nueve

Declan miraba por la ventana cómo los últimos yates veraniegos regresaban a sus amarres cerca del puerto, navegando sobre las sombrías aguas del atardecer. Aquella visión no le proporcionó nada de paz.

¿Enamorado de Gwen? No. Tenía que estar loco. Aquello era un acuerdo comercial y nada más. No podía estar enamorado de ella. ¿Acaso no era suficientemente grave que hubiera traicionado la memoria de Renata con ella? Se suponía que aquélla era la opción más segura, pensada para que ambos consiguieran lo que querían sin mayores complicaciones. Estar enamorado de Gwen suponía sin lugar a dudas una complicación. Declan hizo un esfuerzo por devolver sus absurdos pensamientos al lugar en el que estaban. Donde no podían ser reales. Estaba confundiendo amor con deseo.

–¿Declan?

Él se puso de pie de un salto. No había oído que la puerta se abriera. Gwen estaba al lado del sofá, dándole la espalda. Los delicados tirantes del vestido le caían sobre los suaves hombros.

–¿Puedes ayudarme con estos botones? No llego a todos –su tono de voz no dejaba lugar a dudas. Gwen hubiera preferido pedirle ayuda a una doncella.

–Claro –Declan controló el temblor de las manos y las estiró hacia la fila de botones de perla.

Tocar la piel cálida y desnuda de Gwen era al mismo tiempo una tortura y un éxtasis. La sutil fragancia floral de su cuerpo le invadió los sentidos. Sería tan fácil colocarle los labios en la nuca, beber profundamente de su esencia. Las manos de Declan se morían por abrirse bajo la tela de su vestido y cubrirle los senos.

A cada botón que desabrochaba, se revelaba un trozo de ella. Declan contuvo el aliento al atisbar un destello del corpiño rosa de seda que llevaba bajo el vestido. Uno de ésos que tenía multitud de ganchitos. Una tortura exquisita. Y totalmente fuera de su alcance.

–Gracias, creo que a partir de ahora puedo manejarme yo sola –Gwen se apretó la parte superior del vestido contra el pecho–. Me daré prisa en el baño por si quieres darte una ducha –dijo mientras se dirigía de nuevo al dormitorio.

–Una ducha. Sí. Gracias –Declan tenía la boca más seca que el desierto del Sahara y el cuerpo ardiente. Quedarse allí no era una opción. No hasta que estuviera tan cansado como para ser capaz de dormirse en el sofá-cama del salón y estar seguro de que no intentaría reafirmar sus votos matrimoniales en el dormitorio.

–Oye, Gwen –ella se detuvo en el umbral–. Saca mi bolsa, ¿quieres? Voy a ir un rato al gimnasio.

Ella sacó la bolsa del dormitorio y la dejó sobre el sofá, sujetando el corpiño del vestido con cuidado todo el tiempo. Con un solo tirón en el lugar adecuado, aquella perversa y sensual pieza de lencería quedaría expuesta ante sus hambrientos ojos.

–¿Vas a tardar mucho? –le preguntó Gwen mientras regresaba al dormitorio.

Lo que hiciera falta.

–Una hora más o menos –gruñó quitándose la chaqueta, el chaleco y desabrochándose el cuello de la camisa. Tal vez le llevara una vida entera.

–Entonces te veré más tarde –Gwen salió por la puerta. Esta vez la dejó entreabierta. Declan no sabía qué era peor. Saber que no podía entrar y verla, o saber que sí podía hacerlo.

Cuando regresara de su sesión en el gimnasio, que iba a ser asesina, pediría algo de comer al servicio de habitaciones. No sabía si a Gwen le había pasado lo mismo, pero por primera vez en su vida, Declan había sido incapaz de comer a pesar de lo deliciosa que estaba la comida de su boda, y ahora estaba hambriento. En más de un sentido. Por eso estaba tratando de negar ambos apetitos hasta ser capaz de recuperar algo de control. Volvió a mirar de reojo la puerta del dormitorio. La tentación resultaba abrumadora. Exhalando un suspiro desesperado, lo dejó escapar mientras se quitaba el resto de la ropa y se ponía unos pantalones cortos y camiseta. Le iba a costar mucho trabajo controlar aquel apetito en particular.

Gwen se quitó el vestido de novia y lo colgó de los tirantes en una percha antes de meterlo en el armario. Se sentía vacía. Así no era como debía haber sido el día de su boda. Deslizó los dedos por el corpiño bordado con cuentas antes de cerrar la puerta y apoyarse contra ella. Al lado del armario había una caja. Gwen levantó la tapa. La prenda que había encima estaba envuelta en papel sellado con la etiqueta de la tienda más importante de lencería de Auckland, el mismo establecimiento en el que Libby y Mae habían insistido que comprara la ropa interior para la boda. Encima había una carta. Gwen abrió el sobre y la leyó: *No pudimos resistirnos, y esperemos que él tampoco.* La carta se le cayó de entre los dedos mientras Gwen retiraba el papel. ¿Qué le habían comprado sus amigas?

Dejó escapar un gemido al ver la seda rosa. Gwen levantó la combinación con manos temblorosas. Iba a la perfección con su ropa interior de novia. Luego se dirigió al cuarto de baño. Tendría que haber un albornoz del hotel que pudiera ponerse, y si tuviera que llevarlo puesto cuando se marchara al día siguiente, así lo haría.

Tras quitarse horquillas suficientes como para construir un puente, Gwen liberó su cabello. Le resultó difícil liberarse del corsé, pero finalmente lo consiguió. Se quitó las medias y se colocó bajo el delicioso chorro de la ducha. Frotó algo de jabón en las manos y se lo pasó por la piel. En circunstancias normales no habría estado sola en aquellos momentos. Aunque la imagen que se le pasó por la cabeza no era la de ella con su novio original.

En su lugar, en sus traicioneros pensamientos, un poderoso brazo bronceado le cubría el vientre mientras ella se apoyaba sobre un pecho fuerte y ancho.

Un cabello oscuro se mezclaba con el suyo bajo el agua de la ducha y se le pegaba a los hombros mientras unos dedos largos enjabonaban su cuerpo, se deslizaban entre la unión de sus muslos, acariciándola.

El sonido del jabón al dar contra el suelo de la ducha la sobresaltó, despertándola de sus ensoñaciones.

–¡Gwen! ¿Estás bien? –la voz de Declan atravesó la puerta del baño.

Oh, cielos, ¿no se había marchado todavía? Rezó por haber cerrado con pestillo. Pero no. En el instante en que iba a responder, él entró por la puerta con la preocupación reflejada en el rostro.

–He oído un golpe, ¿estás bien?

Un sonrojo de vergüenza le subió desde los dedos de los pies hasta la cabeza. Abrió la boca para responder, pero no salió nada. Lo que fuera a decir quedó perdido en el brillo de la mirada de Declan. El sonrojo que sofocaba su cuerpo se alteró ligeramente, convirtiéndose en una oleada de deseo. Deseo por Declan.

Deseo por su marido.

Los pezones se le convirtieron en dos protuberancias tirantes que temblaban de deseo por ser tocados. Un temblor que se extendió y bañó todo su cuerpo. Gwen observó impotente cómo Declan le deslizaba la mirada hacia los senos. Casi podía sentir el calor que reflejaban sus ojos, la caricia de sus labios sobre su piel.

–¡Vete! –gritó con voz desesperada y dura.

Sin decir una palabra ni mirar atrás, Declan salió y cerró la puerta en silencio tras él.

Bajo el chorro constante de agua caliente, Gwen comenzó a temblar. Se dejó caer por la pared de la ducha hasta hacerse un ovillo en la base. Aquello no estaba bien. ¿Qué tenía que hacer para sacárselo de su ser? ¿Cuándo dejaría su cuerpo de necesitar sus caricias?

Declan se concentró en su rutina de ejercicios hasta agotarse. Cualquier cosa con tal de mantener a raya sus hormonas. Pero era más fácil decirlo que hacerlo. Ni siquiera necesitaba cerrar los ojos para verla. La tenía firmemente grabada en el cerebro. Su brazos largos y esbeltos, sus senos firmes con unos pezones que se habían oscurecido y puesto duros bajo su mirada, la deliciosa curva de su ombligo y... ¡Tenía que detener aquello! Se estaba volviendo loco. Ella lo estaba volviendo loco. La deseaba como no había deseado nunca a ninguna mujer. A ojos de la ley era suya. Pero Declan sabía en lo más profundo de su alma que hacía falta algo más que un papel para pertenecerle a Gwen, y no estaba preparado para zambullirse en esas profundidades. No lo estaba cuando Renata murió, y en aquel momento tampoco. No había nada que hacer más que meterse en el engranaje de sus ejercicios diarios para sacarla de su ser.

Noventa minutos más tarde, sus músculos gritaban pidiendo alivio, y eso no era todo. Todavía la deseaba, maldita sea. Declan miró de reojo el reloj de pared que había encima de la puerta. Con suerte ahora estaría dormida a aquellas alturas. Cuando entró en la suite, se sorprendió al verla acurrucada en el sofá envuelta en un grueso albornoz blanco. Un trozo de encaje rosa le asomaba a la altura de los senos.

–¿Te sientes mejor? –su voz sonaba como si hubiera estado llorando. Sí, sin duda así había sido. Seguramente no era la noche de bodas que había esperado.

–Necesito una ducha. ¿Te parece bien si entro?

–Claro. Adelante.

Ni siquiera el frío de la ducha consiguió disminuir el calor que le atravesaba el cuerpo. Tendría que ser hombre, apretar los dientes y aguantar el tirón. Seis meses no era tanto. Se miró en el espejo del baño. De acuerdo, seis meses en aquel estado podía llegar a ser mucho tiempo. Pero lo superaría. Había pasado por cosas peores.

–He pedido algo de comer al servicio de habitaciones. Espero que no te importe –así lo recibió Gwen cuando Declan regresó al salón. Los vaqueros que se había puesto apenas disimulaban su estado de excitación.

–Claro, lo que sea. Yo no cené mucho en la boda, ¿y tú?

–No, entonces no tenía hambre.

Pero, ¿tenía hambre ahora? ¿Y hambre de qué? Una discreta llamada a la puerta seguida de un «servicio de habitaciones» lo sacó de sus pensamientos. Declan se puso de pie sin sonreír y se quedó a un lado mientras el camarero colocaba los postres en la nevera discretamente oculta, dejaba la mesa de la cena frente a la ventana y encendía una vela en el centro de la mesa. Declan le dio una propina al camarero, pero se arrepintió al instante cuando, en su camino hacia la puerta, el hombre disminuyó la potencia de las luces centrales para crear una atmósfera más íntima.

–Volveré a encender las luces –Declan levantó la mano hacia el interruptor.

–No –Gwen suspiró–. Déjalo. Está bien. Además, la mesa está preciosa. Por cierto, te debo una disculpa. Siento... siento haberte echado tan bruscamente antes en el baño. Me pillaste desprevenida.

–No te preocupes por eso.

«Y no vuelvas a sacar el tema otra vez, por favor», suplicó Declan en silencio haciendo un esfuerzo para que su cuerpo volviera a recuperar el control ante aquel recuerdo.

Gwen levantó las tapas de las bandejas y se inclinó hacia delante para oler.

–Mm, esto huele de maravilla. Hace siglos que no como langosta. Espero que no te importe que haya pedido algo tan extravagante.

–Tenemos que aprovechar la invitación de papá –aseguró Declan retirando una silla para invitarla a sentarse–. Adelante, comamos.

Declan hizo un esfuerzo galante por resistir el deseo de husmear por encima de las solapas de su albornoz mientras ella se sentaba. Pero no sirvió de nada. Un destello de encaje sobre su piel cremosa provocó que le subiera la tensión. Declan rodeó a toda prisa la mesa y tomó asiento. Comida. Eso era lo que necesitaba. Lo que no necesitaba eran complicaciones, y Gwen se había convertido en una gran complicación.

No, eso no era justo. Lo complicado era lo que sentía ahora por ella. Su matrimonio tenía que durar seis meses. Más le valía recordarlo. Si ella supiera lo que provocaba en él, saldría por la puerta a toda prisa. Declan no podía permitir que eso sucediera.

–Está deliciosa –dijo Gwen probando la langosta.

Declan trató de ignorar el modo en que deslizaba la lengua por los labios mientras disfrutaba del marisco. Lo intentó, pero no lo consiguió.

–Sí, aquí saben cómo ofrecer un buen servicio de habitaciones.

–No pude resistir la tentación de pedir también postre.

–Bueno, si está la mitad de bueno que esto, habrá valido la pena la espera. ¿Qué nos han subido?

–Zabaglione al champán.

–¿Zabaglione?

–Sí. Huevos, azúcar y champán. Delicioso. No he vuelto a probarlo desde que era niña –aseguró Gwen con expresión distante.

–¿De veras? ¿Cómo es eso?

–Fue la última vez que estuve en Milán antes de que mi madre me enviara lejos. Cuando llegué a Nueva Zelanda, mi tía no era partidaria de esas frivolidades. Ni siquiera cabía la posibilidad de tomarse un helado en la calle.

–Entonces, ¿has estado en Italia?

–Nací allí.

¿Nació allí? Declan rebuscó en su cerebro para recordar si le había dado alguna vez alguna indicación de su origen.

–¿Cómo llegaste a Nueva Zelanda?

Ella suspiró y dejó el tenedor en el plato.

–De acuerdo. Te haré un resumen de la historia. Mi madre conoció a mi padre allí cuando estaba realizando un trabajo como modelo. En contra de los deseos de la familia de él, se casaron cuando ella se quedó embarazada de mí. Por desgracia, se le olvidó contarle a su marido que esa hija no era suya. Poco antes de que yo cumpliera los seis años, él descubrió la verdad y nos echó a las dos. Durante un tiempo, a los novios de mamá no les importaba que yo anduviera por ahí, pero cuando cumplí nueve años ella me mandó a vivir con mi tía Hope. Prometió que volvería algún día a buscarme, pero supongo que tener una hija adulta no casa con su imagen.

–Cielos, Gwen, lo siento. Ha debido ser muy duro.

–Le escribí cuando murió la tía Hope, pero me devolvieron la carta sin abrir. Supongo que eso deja muy clara su postura, aunque para entonces ya había aprendido a no contar con ella en mi vida.

Ni con nadie más, de hecho. Gwen estiró la espina dorsal, asumiendo inconscientemente la postura que adoptaba cuando era niña para demostrar que nada ni nadie podría volver a hacerle daño. Pero estaba equivocada. Dolorosamente equivocada. Desde el hombre al que siempre había considerado su padre, pasando por su madre hasta llegar a Steve, las personas a las que había aprendido a amar la habían traicionado.

–Entonces, ¿doy por hecho que el postre no está bueno?

Gwen se rió con amargura.

–No, por supuesto que no. Estoy convencida de que sabrá delicioso.

Decidieron tomar el postre mientras veían una película. Gwen curvó los pies bajo el sofá. Declan se situó en la otra esquina. Para ella fue una sorpresa descubrir lo divertido que era ver una película con Declan. Era muy rápido, y sus jocosos comentarios sobre algunos momentos de la trama la hicieron reír. De hecho, tenía que admitir que estaba disfrutando. La presión del día había desaparecido, al igual que la necesidad de ser vistos como una feliz pareja de recién casados. Ahora podían ser sencillamente ellos mismos. Así que, ¿adónde les llevaba eso?

Aunque la habitación fuera una suite, Gwen sólo había visto una cama. Sin duda no iban a dormir juntos. Tras el desafortunado encuentro en el baño, de ninguna manera pensaba compartir cama con Declan. Ahora incluso se planteaba si sería una buena idea que continuaran compartiendo casa. Sin embargo, la alternativa, no compartirla, despertaría sospechas y pondría todos sus planes en peligro.

A medida que la película iba llegando a su fin, Gwen se fue poniendo nerviosa. Se estaba haciendo tarde. Pronto tendrían que irse a la cama. Trató de decirse que la sensación que le crecía en el estómago eran nervios, pero parecía otra cosa más deliciosa.

Empezaron a pasar los títulos de crédito.

–¿Quieres ver otra película? –le preguntó Declan agarrando la guía de televisión de la mesita.

–¿Hay algo interesante?

–La verdad es que no, a menos que quieras ver una de acción.

–Creo que voy a irme a la cama. ¿Tú también?

Declan le lanzó una mirada extraña, y Gwen deseó no haber pronunciado aquellas palabras. ¡Acababa de invitarle a meterse en la cama con ella!

–Si no te importa, voy a pasar primero al baño –Declan arqueó una ceja–. ¿Vamos a echar a suertes la cama, o la compartimos?

A Gwen se le aceleró el pulso. Había llegado la hora crucial. Miró de reojo el sofá en el que estaban sentados. Seguramente estaría bastante cómoda allí.

La risa de Declan la sobresaltó.

–Oye, sólo estoy bromeando –aseguró–. Esto se transforma en un sofá-cama. Puedo dormir aquí sin problemas.

–¿Estás seguro? –Gwen observó lo alto que era y pensó que estaría mucho más cómodo en la cama gigante de matrimonio del dormitorio.

–No es ningún problema. He dormido en sitios peores. Entraré en el baño, y luego será todo tuyo, ¿de acuerdo?

Sin esperar su respuesta, Declan entró en la habitación. Para distraerse, Gwen recorrió el salón observando su decoración funcional. De pronto se dio cuenta de que una luz roja parpadeaba en el teléfono del escritorio. ¿Tenían un mensaje? ¿Quién habría llamado? ¿Se habría corrido ya la voz de su boda? Gwen levantó el teléfono y marcó el servicio de mensajes.

–Señor y señora Knight, por favor acepten las disculpas del hotel. Parece que una de sus maletas se ha quedado en la conserjería. Por favor, pónganse en contacto con recepción cuando estén listos para recibirla.

Ropa. Mae podría seguir viviendo un día más. Gwen sonrió de oreja a oreja; por supuesto que su amiga no la iba a dejar tirada.

–¿Había algún mensaje? –Declan apareció en la puerta. Se había puesto el otro albornoz. A Gwen se le secó la boca mientras se acercaba a ella con los pies descalzos. Las largas piernas de Declan salvaron la distancia que los separaba. ¿Es que iba a dormir desnudo? Todos los nervios se le pusieron de punta.

–Hay otra maleta abajo. Les diré que la suban ahora –aseguró ella evitando su mirada antes de que su expresión dejara al descubierto la súbita oleada de deseo que se había apoderado de su cuerpo.

–Sí, buena idea –replicó Declan sentándose en el sofá y mirando la televisión.

Gwen trató de no pensar en el modo en que el albornoz se le apartaba del torso, dejando al descubierto un fino vello oscuro que descendía más abajo del vientre. Hizo un esfuerzo por volver a centrarse. ¿Qué se suponía que debía hacer? Ropa. Sí. Eso era. Apartó los ojos del cuerpo de Declan e hizo rápidamente la llamada que con un poco de suerte le proporcionaría algo de alivio ante su inquietante presencia antes de que se rindiera a un absurdo deseo… tal y como había sucedido ocho años atrás.

Capítulo Diez

A la mañana siguiente, Gwen estaba sentada al borde de la cama. Llevaba levantada y vestida desde hacía siglos, y sin embargo se mostraba reacia a salir y enfrentarse a Declan, y al primer día como su esposa. Había escuchado una llamada en su teléfono móvil hacía como un hora, y el sonido de su voz a través de la puerta mientras contestaba, así que sabía que estaba despierto. Cuando llamaron a la puerta de la suite, Gwen decidió que llevaba demasiado tiempo oculta en la habitación.

Al escuchar el sonido de la puerta al abrirse, Declan se giró desde el umbral. Su cuerpo tapaba el de otro hombre. Se giró y dijo unas palabras que Gwen no pudo entender antes de cerrar la puerta y regresar a la salita.

–Buenos días –dijo sin mirarla a los ojos.

–¿Quién era? –preguntó Gwen, a quien le había picado la curiosidad.

–El detective Saunders.

Gwen reconoció al instante aquel nombre. Era el detective encargado de encontrar su dinero... y a Steve.

–¿Ha venido hasta aquí? ¿Y cómo sabía que estábamos aquí?

Por supuesto, por la llamada de teléfono, pensó Gwen entonces.

–Tenía información que pensaba que deberíamos saber. Y… –Declan hizo una pausa y aspiró con fuerza el aire antes de seguir–. Quería que identificara a Steve en una foto.

En su tono de voz había algo extraño. Un tono que hizo que se le erizara el vello de la nuca.

–¿Y era Steve?

–Creo que sí.

–¿Crees que sí? ¿Qué quiere decir eso?

–La foto no tenía mucha calidad. Pero creen que han encontrado el dinero. Parece que Crenshaw había abierto una cuenta en Suiza. La Interpol está trabajando en los detalles.

–¿Y lo han arrestado? ¿Van a deportarlo?

–No exactamente. Mira, Gwen, no hay una manera fácil de decirte esto. Steve está muerto.

–¿Muerto? –Gwen se quedó sin aire en los pulmones, y las piernas le temblaron.

Declan se acercó para sujetarla firmemente de los antebrazos, forzándola a tomar asiento en una silla.

–Vamos, Gwen, respira profundamente. Con calma.

Ella se concentró en su voz, en su fuerza, y respiró varias veces hasta que la sensación de náusea se le asentó.

–¿Cómo ha muerto? –preguntó con voz temblorosa.

Declan aspiró con fuerza el aire. Ahí estaba el problema. ¿Cómo iba a decírselo? La foto que le habían enseñado de Crenshaw estaba tomada en la escena de un crimen y no era agradable.

–Al parecer se vio atrapado en una pelea de bar. Fue algo muy rápido.

–¿Y el dinero? ¿Lo han recuperado?

–Parece ser que sí.

–Entonces no teníamos por qué habernos casado.

A Gwen le tembló la voz, como si estuviera a punto de llorar. Declan apretó la mandíbula. Técnicamente, ambos podrían librarse aquel mismo día de su matrimonio. Fin.

–No es tan sencillo –dijo finalmente–. Recuperar el dinero llevará meses. Y no tenemos tanto tiempo.

–Así que tenemos que seguir adelante con esto –aventuró Gwen.

–Sí. Así es.

Ella inclinó levemente la cabeza y cerró los ojos. ¿Qué estaría pasando por su cabecita? Sin duda remordimiento. Y tal vez pena. A Declan le hervía la sangre ante la idea de que malgastara siquiera una pizca de emoción en Crenshaw. Gwen dejó escapar un suspiro y levantó la barbilla antes de mirarlo.

–Volvamos a casa. Le diré al recepcionista que llame a un taxi –Declan observó cómo Gwen regresaba a la habitación a recoger sus cosas. La llamó justo cuando llegó al umbral–. Gwen, ¿estás bien?

Ella se detuvo y vaciló un instante antes de responder.

–No me queda más remedio, ¿verdad?

***

Declan se puso de cuclillas para admirar el acabado del hierro oscurecido que rodeaba la chimenea. Había trabajado como una bestia durante la última semana. Ambos lo habían hecho, y aquél era el último trabajo que faltaba para terminar la habitación.

Al día siguiente se iba a anunciar el resultado de la propuesta del proyecto Sellers. Declan se debatía entre la esperanza de conseguirlo y el miedo a no haberlo logrado. Alzó la vista cuando Gwen entró en el salón con una bandeja de comida en las manos.

–Eh, has terminado. La chimenea ha quedado estupenda.

Declan se limpió las manos en un trapo áspero y agarró la taza que ella le ofrecía. Gwen dejó una bandeja de sándwiches en la mesa y se sentó en el borde del sofá con su propia taza.

–No puedo creer que hayamos avanzado tanto en una sola semana –Gwen sonrió.

–Hacemos un buen equipo. ¿Quieres que esta noche prendamos la chimenea para celebrarlo? –Declan se reclinó hacia atrás para admirar el trabajo que había hecho.

–¿Tú crees? –un brillo poco frecuente iluminó los grises ojos de Gwen–. Todavía no hace mucho frío. Además, todo se ensuciará y estropeará el trabajo que has hecho.

Declan resopló.

–Pues lo vuelvo a limpiar. ¿Qué me dices? He visto leña seca de sobra en el cobertizo de atrás.

Gwen asintió.

–Me encantaría. Nunca pensé que podría disfrutar tan pronto de la chimenea.

–Bueno, es que no contabas con tener un maestro de las reformas, ¿verdad?

Gwen alzó la vista y lo miró directamente a los ojos.

–No te he dado las gracias todavía por todo lo que has hecho... te lo agradezco. Todo.

El brillo aguado de sus ojos lo decía todo. Declan dejó la taza y agarró las manos con las suyas. A pesar del calor de la taza de café, Gwen tenía los dedos helados.

–Eh, tenemos un trato, ¿lo recuerdas?

–Sí, es verdad –Gwen parpadeó para librarse de las lágrimas de los ojos y sonrió–. ¿Te pones tú con la leña o lo hago yo?

–Te toca a ti. Yo estoy ocupado.

–¡Ocupado comiendo! –Gwen se rió y Declan sintió cómo todo su interior se alegraba. Quería oír aquella risa con más frecuencia, más todavía, quería ser él quien se la provocara. Se había pasado toda la semana tratando de no pensar en lo que sentía por ella, distrayéndose con la distracción que suponía el trabajo que estaban haciendo juntos. Hacían un buen equipo. Declan dejó la taza y el plato en la bandeja.

–¿Por qué no pedimos algo de cenar esta noche y abrimos una botella de vino para bautizar el salón?

–Eso me gustaría –Gwen dejó su sándwich sin terminar en la bandeja cerca del plato vacío de Declan y agarró la bandeja–. Iré a buscar algo de leña mientras tú terminas.

***

Después de cenar, Gwen dejó escapar un suspiro de satisfacción. El fuego de la chimenea se reflejaba en el vino de su vaso. Resultaba adecuado que Declan compartiera aquel momento. Su salón tenía el aspecto que siempre había imaginado, con el añadido del magnífico candelabro de hierro que les habían regalado Connor y Holly por la boda.

–¿Estás contenta? –la voz de Declan interrumpió sus pensamientos.

¿Lo estaba? Gwen se detuvo un instante para reflexionar y se dio cuenta de que por primera vez desde hacía una eternidad se sentía realmente feliz.

–Sí –respondió sintiendo cómo aquella sensación de satisfacción se le expandía por el pecho.

–Entonces, ¿brindamos?

–Claro. ¿Por qué brindamos?

–Por el éxito del señor y la señora Knight.

Lo dijo en tono jocoso, pero sus ojos reflejaban un brillo especial. Un brillo que Gwen no quería reconocer.

–Por nosotros –dijo ella chocando suavemente la copa contra la suya antes de darle un sorbo.

Estaban sentados en la gruesa alfombra que había frente a la chimenea. El calor del fuego acariciaba la piel de Gwen, y dentro de ella también crecía la sensación calurosa del vino.

Habían trabajado como un equipo aquella semana, anticipando los deseos del otro. Por mucho que luchara contra ello, estaba perdiendo la batalla por mantenerlo a raya.

Aquella noche Declan llevaba el pelo suelto. Le caía por la espalda como un río negro. La luz del fuego le bronceaba la piel. Gwen utilizó instintivamente la mano libre para acariciarle la melena, y su suavidad le provocó un temblor en la palma. Hasta aquel momento no había sido consciente de cuánto necesitaba tocarlo. Declan giró la cabeza y sus labios encontraron el punto de su muñeca donde le latía el pulso.

–Sí. Por nosotros –repitió.

Declan le quitó la copa de la mano y la puso en la mesa que tenían detrás. A Gwen comenzó a latirle el corazón a toda prisa y luego se le apaciguó. Iba a besarla. Lo supo, y aunque el sentido común le decía que debía apartarse, no quería detenerle. Ni ahora ni nunca. Poco a poco, Declan se había ido abriendo paso bajo su piel. Una caricia por aquí, una sonrisa por allá, y durante todo el tiempo estaba pendiente de ella. Llevaban casados sólo una semana y se sentía más a gusto con él que con cualquier otra persona en toda su vida. Declan le calentaba la sangre con una sola mirada. El casual roce de sus dedos le aceleraba el pulso. Cuando Gwen accedió a casarse con Steve, había optado por no experimentar las sensaciones que Declan Knight le hacía sentir. Había sido una estúpida al pensar que esa opción la satisfaría. Al pensar que esconderse de las emociones, del calor de la pasión, era mejor que arriesgarse a la vulnerabilidad que sin duda le proporcionaría el clamor de su cuerpo.

Se había entregado una vez a Declan. Las terribles consecuencias de aquella unión la habían hecho retirarse a una esquina a lamerse sus heridas, y prometió no volver a exponer su corazón jamás.

Cuando los labios de Declan se cerraron sobre los suyos, Gwen cerró los ojos. Él le mordió suavemente el labio inferior y le deslizó la lengua húmeda y cálida. Declan sabía a vino y a sueños prohibidos. Gwen permitió que su lengua se rozara con la suya y se solazó en el suspiro de satisfacción que brotó de Declan. Ella tenía aquel poder. Era capaz de arrancar una respuesta de las profundidades de su interior que atravesara las barreras que sabía que había construido a su alrededor. La certeza de que conseguía afectarle de aquel modo le proporcionó una sensación de poder. Pensó que podía controlar aquello.

Gwen sabía en lo más profundo de su corazón que si le pedía que se detuviera ahora, Declan lo haría. Dependía completamente de ella. Abrió un poco más la boca, acercándose más a él. Lo agarró del pelo y lo besó como no había besado nunca a otro hombre. Declan dejó que ella marcara la pauta. Sin romper el contacto de los labios, Gwen se colocó a horcajadas sobre sus caderas, disfrutando del calor que emanaba el cuerpo de Declan mientras el fuego de la chimenea le calentaba a ella la espalda a través de la fina tela de la camiseta.

Gwen estaba excitada. Demasiado excitada. Se apartó de él lo suficiente como para quitarse la camiseta por la cabeza. Los ojos de Declan brillaron como dos diamantes negros bajo la luz del fuego cuando la colocó suavemente en el suelo. Ella apretó los labios en la fuerte columna de su cuello, en el punto que había soñado con volver a saborear de nuevo. Le acarició el pecho con las manos a través de la camisa. El deseo de tocarle directamente la piel la abrumaba. Fue desabrochando muy despacio los botones hasta que por fin le quitó la prenda del cuerpo y pudo dejarse llevar por el placer de recorrerle la piel con los dedos.

A Declan se le puso la piel de gallina ante su tenue contacto, y ella sonrió ante su reacción. Se humedeció un dedo con la boca mientras veía cómo la miraba él. La expresión de su rostro provocó una reacción alocada en su interior. Gwen le hizo círculos suaves en el pezón con el dedo mojado y luego repitió la misma operación con el otro. Para su deleite, se endurecieron todavía más, y Gwen sintió una reacción gemela en los suyos, que se apretaron contra el encaje del sujetador. Echó las manos hacia atrás y se lo desabrochó, quitándoselo y liberando sus senos ante los ojos entornados de Declan.

–Qué hermosa eres –dijo con voz ronca, como si le costara esfuerzo.

–Sh –le ordenó Gwen inclinándose una vez más hacia sus labios.

Se los recorrió con la punta de la lengua. Sus senos le rozaban levemente el pecho hasta que ya no pudo seguir soportándolo más. Entonces se apretó contra él con más fuerza y dejó escapar un pequeño grito. Gwen se inclinó y se desabrochó el botón superior de los vaqueros, apartándose de él sólo lo justo para quitarse los pantalones.

Todo en Declan le decía que tomara el control. Gwen lo estaba matando con aquel asalto delicado sobre su cuerpo. Pero no era capaz de hacerlo. El pequeño triángulo de sus braguitas verde lima como una hoja fresca sobre su piel. Por muy seductoras que resultaran, debían desaparecer. Declan estiró las manos como si tuvieran vida propia, pero aquél era el juego de Gwen, se recordó, y ella ponía las reglas. Una punzada de deseo le atravesó la entrepierna cuando Gwen se deslizó la pieza de lencería por aquellas piernas largas y gloriosas. El fuego proyectaba un halo a su alrededor cuando se inclinó a desabrocharle a él los pantalones.

Declan contuvo un gemido. Si no se daba prisa, tendría que cortarlos. Y de pronto estaba liberado de la tortura de la ropa. Estaba listo para ella. Tan listo que creyó que iba a perder el control.

Alzó las caderas cuando Gwen le quitó por fin los pantalones y los calzoncillos. Ella volvió a pasarle una pierna por encima y, levantándose ligeramente, lo guió hacia la ardiente entrada de su cuerpo. Sus ojos quedaron entrelazados en silencioso duelo, y Declan supo que le estaba proporcionando mucho más que la entrada a su cuerpo. Le estaba dando su confianza. A Gwen se le oscurecieron los ojos y se le sonrojaron las mejillas y el pecho por el deseo. Se lo quedó mirando fijamente con una débil sonrisa dibujada en los labios cuando se inclinó muy despacio sobre su cuerpo, aceptándolo en su interior. Un escalofrío le recorrió a Gwen el interior cuando se unió completamente a él. Declan podía sentirla húmeda y caliente, abriéndose para ajustarse a su tamaño. Dios, era tan delicioso que estuvo a punto de terminar allí mismo. Apretando los puños, hizo un esfuerzo sobrehumano para agarrarla de las caderas y conducirlos a ambos al paroxismo. Pero si algo había aprendido de Gwen durante la última semana era lo importante que resultaba para ella tener el control.

El deseo de aliviarse se apoderó de él, pero se negó a seguirlo. No lo haría hasta que Gwen hubiera alcanzando su éxtasis. Ella gimió y agitó la pelvis ligeramente, atrayéndolo con más fuerza al interior de su cuerpo. Su unión resultaba perfecta. Completa. En aquel momento, Declan comprendió por fin que la amaba más de lo que había amado nunca a ninguna mujer. Quería tenerla así para siempre.

Declan sujetó todo su peso contra los brazos mientras Gwen se movía con embistes más poderosos contra él hasta que Declan sintió finalmente cómo su cuerpo se estremecía y convulsionaba. Un grito profundo surgió de la garganta de Gwen mientras unos escalofríos tenues le recorrían el cuerpo y lo llevaban a él más allá del límite, hacia un delicioso abandono.

Saciado, Declan la envolvió entre sus brazos y estrechó su tembloroso cuerpo contra el suyo. El sudor les perlaba la piel y la luz del fuego los hacía brillar como el oro. La respiración de Gwen se hizo más lenta y acompasada. Finalmente, estaba donde Declan deseaba tenerla desde hacía más tiempo del que quería admitir. Segura, en sus brazos.

***

Mucho más tarde, cuando el aire de la noche se enfrió, el crepitar de un trozo de leña perturbó el sueño de Declan. Deslizó una mano adormilada por la cadera de Gwen y continuó por la línea de su espina dorsal. Ella se movió contra él sinuosamente, provocando que el cuerpo de Declan adquiriera su máxima magnitud.

Se giró ligeramente para acunar el cuerpo de Gwen contra el suyo. Deslizó con cuidado los labios hacia el pezón rosado de uno de sus senos, rodeándolo con la lengua y observando cómo al instante se ponía duro. Se lo llevó a la boca, succionándolo suavemente. Medio dormida, Gwen apretó el cuerpo contra el suyo, movió las caderas y gimió dulcemente.

–Todavía no, mi amor –susurró Declan mientras se movía para introducirse el otro pezón en la boca.

Quería ver los ojos de Gwen brillando de deseo. Deseo por él. Pero todavía no. Le besó suavemente el cuello, saboreando la embriagadora textura de su piel antes de apartarse un poco para colocarse entre sus muslos abiertos. La punta de su erección descansaba sobre el calor de su cuerpo y Declan se inclinó hacia delante muy despacio hasta que la llenó. Sujetando su propio peso con los brazos, de manera que el único punto en el que se rozaban era por donde estaban unidos, Declan se alzó sobre ella.

Un ligero escalofrío atravesó el aire de la noche que había entre sus cuerpos. El cuerpo de Gwen se estremeció en respuesta y suspiró, susurrándole al oído.

–¿Steve?

¡Steve! Declan salió de su cuerpo.

¿Steve? ¿Había imaginado durante todo el tiempo que era Steve Crenshaw quien estaba con ella? ¿Por eso lo había tomado con tanta audacia aquella noche, por eso no había protestado ni lo más mínimo cuando empezó a despertarla para hacerle el amor? La realidad atravesó a Declan como un rayo. Él la había utilizado en una ocasión para olvidar, y ahora Gwen había hecho exactamente lo mismo.

–No soy Steve –las palabras brotaron de sus labios con brusquedad.

Gwen luchó contra la confusión que le nublaba la mente y contra el horror del sueño en el que estaba atrapada. Una pesadilla en la que revivía su noche de bodas, y en lugar de retirarse a una cama vacía, Declan le había devuelto la vida a su cuerpo con pasión. Pero cuando intentó abrazarlo, era el cuerpo de Steve el que estaba encima del suyo.

El eco de la voz de Declan resonó por el aire. Gwen se despertó del todo con la sensación de que algo estaba mal.

–Yo no soy el sustituto de nadie –la voz de Declan sonó rasposa en sus oídos. La acusación de sus ojos quedaba iluminada por las moribundas brasas del fuego. Gwen se quedó sin palabras y se limitó a observar impotente mientras Declan se ponía de pie y salía de la habitación.

¡No!, gritó ella en silencio sintiendo la pérdida de su cuerpo, de su presencia con la misma certeza que si hubiera perdido un brazo. Quería gritar, pero temía no ser capaz de detenerse una vez que empezara.

Capítulo Once

Gwen estaba sentada a la mesa con una taza de café ya frío en la mano cuando Declan entró a la mañana siguiente en la cocina.

Cuando él se marchó la noche anterior, Gwen se arrastró hacia su dormitorio, se puso la bata y se acurrucó en la cama temblando hasta que los pálidos rayos del amanecer tiñeron el cielo. En las frías horas del alba fue a la cocina y llevaba desde entonces sentada allí, tratando desesperadamente de encontrar una explicación para lo que había hecho y dicho. Pero no había ninguna. Había actuado alocadamente al atreverse a intentar alcanzar lo que deseaba, pero una vez más, había vuelto a perder.

Declan se detuvo a su lado. Iba vestido con un traje hecho a medida, camisa blanca y corbata de firma. A Gwen le costaba trabajo pensar que era el mismo Declan con el que había trabajado y reído la semana pasada. Y con el que había hecho el amor la noche anterior.

Lo miró de reojo. El rostro de Declan no daba ninguna clave de lo que estaba pensando.

Ella suspiró.

–Respecto a lo de anoche, Declan...

–No ocurrió. Tener relaciones sexuales fue un error, Gwen. Ambos lo sabemos, sólo sirve para enturbiarlo todo. Deberíamos haber aprendido de nuestros errores pasados –Declan estaba muy rígido, como si le costara hablar.

¿No ocurrió? ¿Cómo podía decir algo así? Era lo más real que le había sucedido a Gwen en su vida. Y había sido muy bonito, aunque el momento posterior la hubiera dejado emocionalmente destrozada. No se merecía que la hicieran de menos.

–¿Relaciones sexuales? –repitió poniéndose de pie–. Hicimos el amor, Declan. Y no fue un error. Lo hicimos porque quisimos. Porque nos deseamos

Sus tensas palabras no parecieron tener ningún efecto.

–Como sea –aseguró Declan–. Pero no debió ocurrir, igual que la última vez. ¿Te has parado a pensar que lo hemos hecho sin protección? –Declan frunció el ceño–. Este matrimonio va a durar seis meses, Gwen. Sólo seis meses. No podemos permitirnos que tenga consecuencias.

Gwen sintió una puñalada de hielo en el corazón. ¿Consecuencias? No, por supuesto que no podían permitírselo. Contó muy despacio hasta diez y luego se concentró en su respiración. Cuando consiguió reunir el valor suficiente, lo miró directamente a los ojos.

–Gracias por recordármelo. Y no tienes que preocuparte por las consecuencias. Tomo la píldora desde que conocí a Steve.

Al escuchar el nombre de Steve, Declan se puso todavía más rígido, aunque parecía imposible.

–Bien –dijo con brusquedad–. Ya hemos aclarado las cosas.

Se dio la vuelta para marcharse, pero vaciló un instante en la puerta.

–Ah, Gwen, esto no volverá a suceder, te lo prometo. Nos limitaremos a los términos de nuestro acuerdo.

Ella escuchó sus pasos alejándose por el pasillo. Cuando oyó el motor de su coche alejarse con un ruido de neumáticos volvió a dejarse caer en la silla y comenzó a temblar con fuerza. Declan había dejado sus sentimientos muy claros. Además, eso era lo que ella siempre había querido, ¿verdad? Aunque su corazón le gritaba lo contrario, Gwen se obligó a sí misma a concentrarse en los hechos. Tenían un acuerdo. Lo único que había que hacer era ceñirse a él.

Declan circuló a toda velocidad para aumentar la distancia entre Gwen y él. Había sido un estúpido al bajar la guardia con ella. Cinco meses y tres semanas más y estaría libre. Tras el episodio de la noche anterior, estaba deseando dejar atrás aquello.

«Y durante todo ese tiempo, ella estaba imaginando que estaba con otra persona. No lo olvides», se recordó. El teléfono móvil de Declan comenzó a vibrar en el bolsillo de su chaqueta y paró el coche a un lado de la carretera.

–Sí –contestó con un gruñido.

–Felicidades, señor Knight. Sé que está ansioso por tener noticias, así que decidí decírselo cuanto antes. Su oferta ha sido aceptada –el resto de las emocionadas palabras del agente inmobiliario se perdieron en medio de la ola de alivio que atravesó a Declan. Lo había conseguido. Aquello era justo lo que quería, por lo que había trabajado tan duro.

Entonces, ¿por qué se sentía como si lo hubiera perdido todo?

Desde lo que Gwen llamaba para sus adentros «la mañana después», Declan y ella tenían una convivencia fría y educada. Aquella noche sería la gran prueba, porque iban a cenar con la junta de directores y sus esposas. Declan y ella serían la pareja más joven, y la más observada. Le daba terror que Tony Knight pudiera ver a través de ellos, a través de su fachada de mentiras.

Al escuchar una fuerte llamada a la puerta con los nudillos, Gwen aspiró con fuerza el aire.

–Estaré lista enseguida –frente al espejo, Gwen se atusó nerviosamente el pelo y volvió a repasarse una vez más los labios con un lápiz brillante. Luego se reclinó hacia atrás para observar su reflejo. Si aquella noche no conseguía proyectar la imagen adecuada, no sería porque no lo hubiera intentado.

–La reserva es a las ocho. Nos tenemos que ir ya.

El gruñido de Declan atravesó la puerta cerrada de su dormitorio. A Gwen le dio un doloroso vuelco al corazón. Un mes atrás, en la ajetreada semana de después de la boda, habría llamado y hubiera entrado en lugar de perpetuar aquella fría distancia que mantenían desde aquella noche. ¿De cuántas maneras iba a castigarla por lo que había hecho?, se preguntó sujetando el picaporte de la puerta con la mano.

–Te esperaré en el coche.

–No hace falta –respondió Gwen abriendo la puerta–. Ya estoy lista.

Durante una décima de segundo, vio un destello de reacción en los ojos de Declan, que apretó las mandíbulas antes de recuperar otra vez su fría compostura. Pero aquello bastó para que Gwen supiera que sus esfuerzos no habían sido en balde. El vestido de firma en tono plateado con el escote que le enfatizaba los hombros era realmente espectacular.

Declan le dirigió una mirada dura y luego se giró para mantenerle la puerta abierta para que ella pasara.

Una vez en el restaurante, Declan le pasó las llaves al aparcacoches antes de ponerle la mano en la espalda para acompañarla a entrar. Una súbita sensación de calor la hizo dar un respingo.

–Tendrás que hacerlo mejor. Esperan ver una pareja feliz.

–Esto va a ser muy interesante, ¿verdad? –aquella respuesta ácida salió de sus labios antes de que pudiera evitarlo.

–Gwen... –comenzó a decir Declan con tono de advertencia.

–No te preocupes, conozco las normas. No sospecharán nada –Gwen cruzó los dedos para que eso fuera verdad.

***

Mientras la conversación rondaba por la mesa, Gwen no pudo evitar echar de menos la camaradería que habían entablado antes de aquella guerra fría, la cercanía que hubiera permitido que se intercambiaran una sonrisa o una mirada ante la pomposidad de aquella mesa. Sin embargo, Declan evitaba cualquier contacto visual. Aunque se las arreglaban para parecer una feliz pareja de recién casados. Él tenía el brazo en el respaldo de su silla, y le acariciaba la nuca. Cualquiera hubiera podido pensar que no podía apartar las manos de ella.

–Y dime, Gwen –Tony Knight se inclinó hacia delante por encima de la mesa–, ¿cómo te está tratando mi hijo?

Gwen sintió los dedos de Declan apretándole suavemente la nuca. Una oleada de furia se apoderó de ella. ¿Acaso pensaba que no sería capaz de lidiar con aquella pregunta?

–Está haciendo todo lo que debe –aseguró con una sonrisa forzada.

El rostro del padre de Declan permaneció unos instantes rígidos. Luego se echó hacia atrás y comenzó a reírse a carcajadas hasta que se le saltaron las lágrimas.

–Ése es mi chico –dijo limpiándoselas con la servilleta–. Ése es mi chico.

Gwen sintió cómo Declan se relajaba a su lado después de que la risa de su padre marcara el tono de lo que quedaba de cena. Fue un alivio que todo el mundo se levantara para irse después del postre y los dejaran solos con el café.

–Ha ido mejor de lo que yo esperaba –comentó

Declan con un suspiro aliviado cuando todos se hubieron marchado.

–Sí –Gwen jugueteó con la servilleta que tenía en el regazo. Estaba claro que la gente había visto lo que había querido ver.

–Nosotros también deberíamos irnos. Mañana vuelo temprano a Christchurch –Declan se levantó para retirarle la silla a Gwen cuando de pronto se detuvo en seco.

–¿Qué ocurre? –ella se dio cuenta de que había palidecido–. ¿Qué pasa, Declan?

–Nada. Vámonos –agarró el bolso plateado de Gwen, que estaba encima de la mesa, y se lo puso en las manos

–¿Declan? ¿Declan Knight? –una voz masculina los detuvo cuando salían del restaurante.

Declan dijo una palabrota entre dientes y se dio la vuelta para saludar al hombre. Aquella voz le resultaba familiar y le provocó un escalofrío en la espina dorsal. No, no podía ser. Era el padre de Renata. Declan mantuvo la mano en su espalda mientras se acercaban a la mesa de los padres de Renata.

–¡Declan! ¡Gwen! Qué casualidad encontraros a los dos juntos. Sentaos, por favor –el padre de Renata sonrió señalando con un gesto los dos asientos libres de su mesa.

–Trevor. Dorothy –Declan los saludó con una inclinación de cabeza–. Es una sorpresa veros aquí en Auckland.

–Oh, venimos una vez al año para ver a los amigos y visitar la tumba de Renata. Hoy es su cumpleaños, ¿recuerdas? Vaya –la madre de Renata agarró la mano de Declan–. ¿Esto es un anillo de casado? Mira, Trevor. Se han casado.

–¿Casados? ¿Gwen y tú?

Gwen permaneció muda. No hubiera podido hablar ni aunque lo intentara. Conocía a aquellas personas desde que era adolescente, había estado a su lado en el funeral de su única hija. El aire que los rodeaba se hizo tan denso que hubiera podido cortarse con un cuchillo.

–Vaya, felicidades a los dos. ¿Hace mucho que os casasteis? –Trevor trató de disimular su sorpresa.

–Hace apenas un mes –respondió Declan–. Lo siento, no podemos quedarnos. Tal vez en otro momento.

–Eso sería estupendo –el entusiasmo de Dorothy parecía genuino, y Gwen sintió que se le caía el alma a los pies. No conseguirían engañar a aquellas personas. No quería hacerles más daño del que ya se había hecho a sí misma. Dorothy se puso de pie y abrazó con fuerza a Gwen.

–Te hemos echado de menos, cariño. A los dos.

–Yo también –a Gwen se le entrecortó la voz por la emoción.

–No desaparezcas, ¿de acuerdo? Y ahora marchaos. Apuesto a que estáis deseando llegar a casa –Dorothy la abrazó con más fuerza antes de soltarla. Gwen no podía recordar si les había dicho adiós o no. Lo único que sabía era que tenía que salir de allí. Huir de las preguntas que no le habían hecho.

El camino de regreso a casa fue por suerte muy rápido. En cuanto Declan abrió la puerta de la casa. Gwen corrió hacia el cuarto de baño con piernas temblorosas.

Tenía el estómago del revés. Se limpió la cara con la toalla para secarse las lágrimas, para secarse el último resquicio de dignidad que había luchado por mantener.

–Oh, Dios, ha sido espantoso –susurró con voz temblorosa.

–Sí, lo ha sido.

Gwen se apartó del lavabo y se puso de cuclillas. Declan agarró un vaso de la cómoda, le echó agua fría y se lo pasó.

–Gracias –dijo ella poniéndose de pie tras dar un buen sorbo–. Ya estoy bien.

–¿Estás segura?

–Tengo que estarlo, ¿verdad? –volvió a acercarse al lavabo y agarró el cepillo y la pasta de dientes. Le temblaban las manos al echar la pasta. Su mirada se cruzó con la de Declan en el espejo–. ¿Y qué me dices de ti? No ha debido resultarte fácil.

–No, no lo ha sido. Pero no podemos hacer nada. Quieren quedar con nosotros en algún momento.

–Tenemos que evitarlo. Esperemos a que todo haya terminado y luego se lo hacemos saber con una carta.

–¿Es eso lo que de verdad quieres?

Gwen no podía seguir aguantando su fría mirada. ¿Era eso lo que quería? Lo cierto era que ya no estaba segura. Lo único que quería era alguna garantía de que el dolor cesaría en algún momento. Y eso sólo podría suceder cuando Declan desapareciera de su vida para siempre. Alzó los ojos para volver a mirarlo.

–Sí.

Él no contestó, pero hubo algo en sus ojos que murió con su respuesta. Inclinó ligeramente la cabeza y salió del baño.

Capítulo Doce

Durante las siguientes semanas apenas se vieron. Para alivio de Gwen, Declan se enfrascó en largas horas de trabajo para ultimar los contratos de Desarrollos Cavaliere y también viajó por varios puntos de Nueva Zelanda. Ella estuvo trabajando en casa.

Gwen se levantó de la silla y estiró la espalda para relajar las contracturas. Llevaba horas allí sentada, pero por fin había terminado el inventario de los muebles almacenados en el sótano del hotel Sellers. Resultaba todo un reto encontrar otros muebles del mismo periodo, pero tenía un listado de buenos ebanistas que podrían hacer réplicas en los casos que fuera necesario. El trabajo de planificación ya estaba hecho. Pronto empezaría con la parte física, que era la que más le gustaba. Su equipo de expertos esperaba que ella les diera la señal para tomar posesión del apartamento piloto y ponerse manos a la obra para hacer realidad la magia.

Todo estaba planeado. Gwen debería estar encantada de pensar que dentro de dos meses sería una mujer libre. La habían llamado aquella semana del banco para confirmarle que el dinero que Steve le había robado había sido depositado en su cuenta. El corazón le dio un vuelco. Eso significaba que Declan también había recuperado el suyo. ¿Seguiría insistiendo en que su matrimonio llegara a los seis meses ahora que los dos tenían su dinero? Con el visto bueno de la junta al proyecto, Declan podría solicitar todos los créditos que necesitara. Un escalofrío le recorrió la espina dorsal.

Echó un vistazo al reloj. Maldición, se le había hecho tarde. Para continuar con la farsa, le había preparado a Declan una fiesta de cumpleaños en casa. Si no se daba prisa no tendría nada preparado a tiempo.

La fiesta estaba saliendo muy bien. Habían tenido mucha suerte con el tiempo, y a pesar de la reciente ola de frío, el día había amanecido claro y brillante. Los invitados salían y entraban del porche al comedor a través de las puertas del balcón.

Gwen trató de relajar la tensión que sentía en el estómago. «Nervios», se dijo. Sólo nervios. Aquélla era la primera fiesta que celebraba como esposa de Declan, y sin duda sería la última. Todo tenía que ser perfecto. Satisfecha al ver que todo el mundo estaba bien atendido, Gwen agarró una copa de Chardonnay frío y salió al porche a unirse a sus invitados. Declan fue consciente del mismo instante en el que Gwen salió. La vio sentarse con gracia en una de las sillas del porche y sonreírle sin ganas a alguien. Vivir con ella suponía un infierno para los sentidos de Declan. Se las había arreglado para convencerse de que sus sentimientos estaban bajo control hasta que su banco le comunicó que el dinero que Crenshaw se había llevado al extranjero estaba de nuevo en su sitio.

Ya no tenían que seguir manteniendo aquella farsa. La vida podría volver a la normalidad. Ya tenía reservado su propio apartamento en el edificio Sellers. Podía irse a vivir con Mason hasta que estuviera terminado y acabar con aquello de una vez. La idea debería resultarle atractiva, pero no era así.

Tendría que haber sido más listo y no permitir que sus emociones se apoderaran de él. Observó a Gwen con detenimiento. Al verla de cerca se hicieron más obvias las señales del duro trabajo en su rostro. Parecía infeliz y cansada. La certeza de que él era responsable de todo aquello se le clavó como un cuchillo en las entrañas. No podía seguir soportándolo. Sólo había una cosa que podía hacer. Lo más honorable.

No le resultó difícil encontrar a Connor entre la multitud. Su hermano pequeño sobresalía por su altura entre la gente.

–¿Estás bien, hermano? –le preguntó Connor acercándose a él y pasándole una cerveza helada–. Con la cara que traes no hace falta que soples las velas. Se apagarán ellas solas del susto.

–Déjalo estar, Connor –gruñó Declan en respuesta.

–Vaya, qué agresivo –Connor le dio un sorbo a su bebida–. ¿Qué te pasa? Si no estuviera al tanto, diría que estás teniendo problemas con tu bella esposa.

–¿A qué te refieres con eso de estar al tanto?

–Vamos, Declan, yo redacté vuestro acuerdo, ¿lo has olvidado? Vosotros tenéis un trato.

Sí, tenían un trato. Pero habían roto irrevocablemente una de las condiciones, y su vida se había convertido en un infierno desde entonces.

–Tal vez sea que me estoy haciendo mayor –Declan sonrió sin ganas.

–Nos pasa a todos, aunque a unos antes que a otros –respondió Connor con otra sonrisa.

–Ya que hablamos de esto, ¿qué pasaría si rescindimos nuestro acuerdo? –Declan planteó la pregunta fingiendo la mayor naturalidad del mundo.

Connor parecía conmocionado.

–¿Rescindirlo? Tendrías que tener una buena razón para ello, Declan. Las condiciones del fideicomiso son muy claras. Tanto si lo necesitas como si no, no deberías tirar el dinero por la ventana. Estamos hablando de muchos millones.

Declan clavó la mirada en el rostro de Gwen, que circulaba entre los invitados.

–Hazlo. Devuelve el dinero al fondo de papá.

–Ya sabes que, según las condiciones de mamá, sólo tienes una oportunidad. ¿Estás seguro de que esto es lo que quieres?

–Sí –la voz de Declan se endureció–. Nunca he estado tan seguro.

El último invitado se marchó a las nueve. Gwen estaba deseando irse a la cama. La voz de Declan la interrumpió cuando iba camino de su dormitorio.

–Gwen, ¿puedes venir un momento al salón? Tengo que hablar contigo.

Un escalofrío le recorrió a ella la nuca. La última vez que Declan le había dicho que tenía que hablar con ella le había echado en cara que hubieran hecho el amor.

–¿No puede esperar hasta mañana, Declan? Estoy muy cansada.

Él suspiró y se pasó una mano por el pelo.

–Ya lo sé. Por favor, esto no nos llevará mucho.

Gwen lo siguió hasta el salón. Alguien había encendido la chimenea. Las llamas bailaban alegremente sobre los troncos, creando una atmósfera cálida. Declan estaba al lado de la repisa con expresión seria. Le hizo un gesto para que se sentara. Declan agarró un fajo de papeles que había encima de la repisa y los sujetó con la mano. Gwen comenzó a sentirse incómoda.

–Pensé que sería fácil, ¿sabes? –la mirada de ónice de Declan se clavó en la suya. Se sentía atrapada, pero no era capaz de moverse. Sabía que tenía que escuchar lo que Declan iba a decirle–. Me refiero a estar casado contigo sólo sobre el papel. Diablos, me engañé pensando que podía hacerlo sin importar lo que hubiera pasado entre nosotros.

Declan esbozó una sonrisa cínica.

–Me equivoqué –se giró y dirigió los papeles hacia el fuego.

–¿Qué estás haciendo? –exclamó Gwen cuando una llama acarició la esquina de uno de los papeles y comenzó a quemarlo.

–Estoy destruyendo nuestro acuerdo. Eres libre, Gwen.

–¡Pero no puedes hacer eso! ¿Y qué pasa con tu fideicomiso? –Gwen se puso de pie de un salto.

–Al diablo con el fideicomiso –Declan dejó caer

las hojas al fuego y colocó la rejilla de la chimenea delante.

–¿Por qué? –Gwen parpadeó furiosamente para librarse de las lágrimas que le quemaron los ojos. ¿Iba a rechazarla otra vez? ¿De cuántas maneras podía hacerle daño? Creía que era más fuerte.

–¿Significa esto que como ya has recuperado tu dinero ya no necesitas tu fideicomiso? ¿Ya no me necesitas?

–No te preocupes por tu trabajo. Eso sigue en pie, si así lo deseas. Y si no es así, te seguiré pagando el sueldo que te pago hasta que encuentres otra cosa.

–No me importa el trabajo, Declan. ¿Por qué haces esto?

Declan se giró, colocó ambas manos en la repisa de la chimenea y dejó caer la cabeza entre los hombros.

–No puedo seguir con esto, Gwen. Me está destrozando. Sé lo que es vivir tras haber perdido a alguien que amabas, hacerse a la idea de que no volverás a ver a esa persona, de que no volverás a abrazarla. Eso me mató y ahora te lo estoy haciendo a ti también. Eres libre. Me mudaré mañana.

¿Libre? ¿Mudarse? ¿De qué diablos estaba hablando?

–Eso no explica nada. ¿Por qué me estás rechazando? –a Gwen se le cerró la garganta por la emoción.

–No te estoy rechazando, Gwen –Declan se giró para volver a mirarla–. ¿No lo entiendes? Ya puedes librarte de mí. Connor empezará el lunes con los trámites.

Si Declan le hubiera desgarrado el corazón, no le habría producido más dolor. Gwen supo entonces con aterradora claridad lo que llevaba años ocultándose. Amaba a Declan Knight. Siempre lo había amado. Acceder a casarse con alguien como Steve había sido una forma de negar la realidad, de negar el hecho de que se merecía algo más. Que se merecía el amor de un hombre que la pusiera a ella por delante de cualquier otra cosa. Y tenía que hacer todo lo que estuviera en su mano para asegurarse de que no se le escapaba.

–No, no puedes. Tenemos un acuerdo.

Uno de los troncos de la chimenea crepitó.

–Ya le he dado instrucciones a Connor.

–Pues dile que no haga nada –Gwen apretó los puños. Tenía que conseguir llegar hasta Declan de alguna manera, convencerlo para que le diera otra oportunidad.

–Vamos, Gwen. Sabes que no quieres estar casada conmigo. Sigues enamorada de Steve Crenshaw. Pronunciaste su nombre dormida después de que hiciéramos el amor.

Le había herido más allá de su orgullo masculino con aquello, y esa certeza le devolvió a Gwen cierta esperanza. Con aquella afirmación, Declan se lo había dicho todo. Gwen reunió el valor para presionarle.

–¿Eso te molestó?

–Por supuesto que me molestó.

Bien, estaba empezando a enfadarse. Cualquier cosa era mejor que aquella expresión de mártir que tenía antes. Con la rabia podía lidiar. La rabia era real. La rabia podía desactivarse.

–¿Por qué? –lo pinchó Gwen.

–Cualquier hombre se sentiría insultado si la mujer con la que acaba de tener relaciones sexuales le hubiera llamado por otro nombre.

–¿Y te sentiste insultado?

–¿Insultado? No. Destrozado.

–¿Y por qué estabas destrozado, Declan? Dímelo –Gwen se acercó a él y le puso luna mano en el pecho. El corazón le latía con fuerza bajo la mano.

–Ya no importa.

–Lo que dije fue un error. Si hubiera una manera de retractarme, lo haría. Lo siento, Declan.

–Sí, yo también. Siento haber pensado que esto podría funcionar. Ahora eres libre. Yo soy libre. Podemos seguir adelante con nuestras vidas.

Gwen no podía dejarlo estar así. Tenía que sacarle todo lo que tuviera dentro como fuera.

–¿Por qué quieres que funcionen las cosas entre nosotros? Dímelo.

La voz de Gwen resultaba insistente y persuasiva. Tenía que escuchar su respuesta. Lo necesitaba.

–Porque te amo, Gwen. Aunque eso no sirva de nada –Declan le apartó la mano del pecho e hizo amago de marcharse, pero Gwen lo agarró con fuerza del brazo.

–No te atrevas a dejarme ahora, Declan Knight.

Gwen se acercó más a él. Sus pechos se rozaban.

–¿Por qué no me preguntaste por qué pronuncié el nombre de Steve?

–Oh, sí, eso habría sido una buena conversación de desayuno. Claro –el sarcasmo salía de su boca como veneno.

–Estaba soñando con él. Era una pesadilla. Si dije su nombre fue por miedo, no por pasión. Toda mi pasión es para ti –Gwen enfatizó cada palabra dándole golpecitos en el brazo con un dedo

–¿Sí?

–Sí. No quiero estar casada contigo seis meses, ni un año. Quiero estar contigo para siempre.

–Pero Gwen…

Ella le puso un dedo en los labios.

–Escúchame, por favor. Mi padre dejó a mi madre cuando yo tenía seis años. Era una mujer muy guapa, y lo sigue siendo. Pero eso no significó nada cuando mi padre dejó de amarla. Desde entonces se ha pasado la vida buscando un hombre que vuelva a quererla así.

A Gwen se le llenaron los ojos de lágrimas. Trató de contenerlas, pero no sirvió de nada.

–¿Sabes? Cuando era pequeña me subía a su regazo y me decía que era su princesa. Su tesoro. Yo me sentía la dueña del mundo cuando estaba con él. Cuando averiguó que yo no era hija suya, sencillamente nos echó. Saber que el comportamiento de mi madre fue lo que los separó, ser testigo de su constante necesidad de escuchar que era guapa, hizo que yo jurara que conseguiría hacer funcionar mi matrimonio sin que hubiera atracción física, pero que Dios me ayude, no he sido capaz de controlar eso contigo. Te amo, Declan, te amo con todo lo que soy. No me digas que esto ha terminado.

–¿Terminado? –Declan rodeó a su esposa con los brazos–. No, esto no ha terminado. Acabamos de empezar –inclinó la cabeza y le rozó suavemente los labios. Fue como si la besara por primera vez. Lo hizo con sinceridad. Con amor.

La tomó en brazos y la llevó por el pasillo.

–¿En tu cama o en la mía? –preguntó con un brillo malicioso en los ojos.

Gwen se rió suavemente.

–En la tuya, por favor. Le tengo ganas a esa cama desde el día que te mudaste a vivir aquí.

–Todavía no hemos terminado de decorarla.

–No me pondré a mirar las paredes, te lo prometo.

Declan la dejó suavemente sobre la cama antes de tumbarse a su lado y alzar una mano para acariciarle la línea del rostro. Le quitó la camisa y le desabrochó los pantalones para poder rodearlo con sus manos. Declan se estremeció de placer ante sus caricias, gruñendo contra su boca mientras ella le recorría la aterciopelada erección.

–Llevas demasiada ropa –gimió él cuando finalmente se apartó de sus labios.

–¿Por qué no haces algo al respecto? –preguntó a su vez Gwen con una sonrisa que no dejaba lugar a dudas de su invitación.

Lentamente, con cuidado infinito, Declan le fue quitando cada prenda de ropa. Ella deseaba gritarle que se diera prisa. Quería levantarse simplemente la falda y que la tomara tal cual. Lo deseaba con un ansia que eclipsaba cualquier cosa que hubiera conocido con anterioridad. Pero Declan se tomó su tiempo.

Le recorrió los hombros con los dedos y luego bajó por el escote antes de posar sus cálidos labios sobre la piel. Gwen se revolvió sobre la cama. Cuando la lengua siguió el camino de sus dedos entre los senos y por las costillas, ignorando sus puntiagudos pezones, Gwen no fue capaz de reprimir un gemido de disgusto.

–Tócame –le suplicó–. Por favor.

–Ya que me lo pides así... –replicó Declan antes de acariciarle primero un seno y luego otro con las yemas de los dedos.

–Más –exigió ella con la voz cargada de pasión.

Gwen contuvo el aliento y arqueó la espalda cuando él le agarró el pezón entre el dedo pulgar y el índice. Al principio la presión fue suave, pero fue aumentando cada vez más. Luego lo hizo con los dos pezones a la vez. Dentro de Gwen se fueron sucediendo una ola de placer tras otra. Cerró los ojos y se concentró únicamente en la sensación que le invadía el cuerpo. Cuando el húmedo calor de la boca de Declan ocupó el lugar de los dedos, Gwen se dejó llevar por el placer y se estremeció contra su boca mientras le enredaba los dedos en el pelo.

No tuvo voz para protestar cuando él le abrió suavemente las piernas y se colocó entre sus muslos, deslizando los dedos a través del vello que cubría su feminidad. Los músculos internos de Gwen se apretaron en anticipación cuando la cálida respiración de Declan le atravesó la tierna piel. Su boca se cerró sobre ella y le recorrió con la lengua la sensible protuberancia, y entonces ella se entregó a la belleza del placer que le estaba proporcionando. Su cuerpo volvió a subir una vez más, y casi llegó a alcanzar la cúspide del placer que prometían los labios y la lengua de Declan.

El grito de protesta de Gwen cortó el aire cuando él detuvo de pronto las caricias y se apartó de su cuerpo. Gwen observó con ojos vidriosos cómo se deslizaba hacia el borde de la cama para quitarse la ropa que le quedaba. Entonces volvió a ella. Tenía los ojos oscurecidos como la noche más negra cuando le clavó la mirada.

Gwen estiró la mano hacia su erección. Declan tenía la piel tirante, y estaba caliente. Muy caliente. Ella lo guió hacia su entrada, y sólo lo soltó cuando Declan la sondeó delicadamente antes de deslizarse completamente en el interior de su cuerpo con un único y suave movimiento. Gwen le colocó las manos sobre los hombros, disfrutando del poder de sus músculos mientras él se mantenía inmóvil, negándose a moverse.

Incapaz de quedarse quieta, Gwen volvió a apretar sus músculos internos y se alzó un tanto para capturar sus labios con los suyos. Entonces, gracias a Dios, Declan volvió a moverse, retirándose de su cuerpo antes de volver a sumergirse en él una y otra vez hasta que Gwen se deshizo en millones de partículas de placer. Los ojos se le llenaron de lágrimas ante la belleza de aquel hombre, su marido, y el amor que le estaba entregando. ¿Cómo pudo haberse conformado alguna vez con algo menos que aquella perfección, que aquella sensación de pertenencia?

Cuando Gwen alcanzó el clímax, pilló a Declan de sorpresa y él también colapsó mientras su cuerpo se amoldaba al de ella como si estuvieran hechos de una única pieza de arcilla. Una sonrisa de satisfacción y de profunda alegría se dibujó en los labios de

Gwen mientras le acariciaba arriba y abajo la espalda, solazándose en los ligeros temblores que recorrían el cuerpo de Declan.

Era suyo. Total y absolutamente suyo.

Declan se levantó un tanto y se colocó de lado, tirando suavemente de ella para obligarla a mirarlo. Sus cuerpos todavía estaban unidos.

–Gracias –murmuró él.

–De nada. Gracias a ti –Gwen onduló las caderas contra las suyas.

Declan se rió suavemente.

–No, tonta, no me refiero a eso. Aunque desde luego no me quejo –capturó los labios entre los suyos, mordisqueándole el inferior–. Quiero decir que gracias por amarme. Me sentía a salvo con este matrimonio nuestro. Creí que era algo que podía controlar. Llevo más tiempo del que puedo recordar controlando todas las situaciones, pero tú acabaste con eso. Por ti he hecho y dicho cosas que nunca pensé.

Declan aspiró con fuerza el aire y lo soltó de golpe.

–Yo amaba a Renata, Gwen. Apasionadamente. Ya sabes cómo era ella, tan despreocupada, tan lanzada. Absolutamente escandalosa. El polo opuesto a mí. Era como tratar de llevar una antorcha en la mano mientras sopla un vendaval. Cuando murió, te culpé a ti por haber estado allí con ella, pero sobre todo me culpé a mí mismo por no estar y por no haber tratado de convencerla con más ahínco para que no hiciera aquel ascenso.

–No, Declan –lo interrumpió Gwen–. No te casti-

Acepte 2 de nuestras mejores novelas de amor GRATIS

¡Y reciba un regalo sorpresa!

Oferta especial de tiempo limitad

Rellene el cupón y envíelo a
Harlequin Reader Service®
3010 Walden Ave.
P.O. Box 1867
Buffalo, N.Y. 14240-1867

¡Si! Por favor, envíenme 2 novelas de amor de Harlequin (1 Bianca® 1 Deseo®) gratis, más el regalo sorpresa. Luego remítanme 4 novelas nuev todos los meses, las cuales recibiré mucho antes de que aparezcan en librerí y factúrenme al bajo precio de $3,24 cada una, más $0,25 por envío impuesto de ventas, si corresponde*. Este es el precio total, y es un ahorro casi el 20% sobre el precio de portada. !Una oferta excelente! Entiendo que hecho de aceptar estos libros y el regalo no me obliga en forma alguna a compra de libros adicionales. Y también que puedo devolver cualquier envío cancelar en cualquier momento. Aún si decido no comprar ningún otro libro Harlequin, los 2 libros gratis y el regalo sorpresa son míos para siempre.

416 LBN DU

Nombre y apellido (Por favor, letra de molde)

Dirección Apartamento No.

Ciudad Estado Zona postal

sta oferta se limita a un pedido por hogar y no está disponible para los subscriptores ctuales de Deseo® y Bianca®.
os términos y precios quedan sujetos a cambios sin aviso previo.
npuestos de ventas aplican en N.Y.
N-03 ©2003 Harlequin Enterprises Limited

gues así. Nadie podía haber detenido a Renata aquel día. Estaba absolutamente decidida. Le rogué que por favor regresáramos, y terminó por acceder. Pero para entonces ya era demasiado tarde.

Gwen apoyó los labios contra el cuello de Declan. Le consolaba sentir la fuerza de su pulso contra ellos.

–Los dos la queríamos, Declan, pero ahora depende de nosotros. No podemos volver atrás en el tiempo y deshacer lo andado. Tenemos que dejar de culparnos por lo que ocurrió y seguir hacia delante.

–Sí, tienes razón. Ahora lo entiendo. ¿Sabes? Creo que Renata y yo nos habríamos pasado el resto de nuestra vida buscando emociones, pero no habríamos llegado nunca a adquirir un compromiso total.

Declan le levantó la barbilla y le dio un beso en los labios.

–Nunca pensé que volvería a enamorarme. Y menos así. No puedo creer la suerte que tengo de tenerte. Quiero comprometerme contigo para toda la vida. Lo que nosotros tenemos es para siempre. ¿Quieres casarte conmigo, Gwen? Esta vez de verdad.

–Oh, sí –suspiró ella contra sus labios–. Eso me haría la mujer más feliz del mundo.

Declan le pasó la mano por la pecadora y gloriosa espalda y apretó su cuerpo contra el suyo, sintiendo cómo renacía a la vida. Sabía que nunca se saciaría de ella. Su vida no podía ser más completa. Aquella noche le habían entregado el regalo más grande de amor.

–Gwen, éste ha sido el mejor cumpleaños de toda mi vida. Me temo que no vas a conseguir superarlo nunca.

–Tal vez no –sonrió Gwen–. Pero voy a pasarme el resto de mi vida intentándolo.

Deseo™

Abrasados por la pasión

Day Leclaire

Lo llamaban el Infierno y era un deseo devorador que se sentía sólo una vez en la vida, capaz de consumir a un hombre. El millonario Marco Dante sintió esas llamas nada más ver a Caitlyn Vaughn. Nada podría evitar que la tuviera... ¡ni siquiera que estuviera comprometida con su hermano gemelo!
De modo que se hizo pasar por el novio verdadero, llevándosela para celebrar una boda rápida y una subyugante luna de miel. Pero luego tendría que enfrentarse a su esposa cuando ella descubriera el engaño y, de algún modo, encontrar una manera de convertir esa flameante furia de nuevo en pasión ardiente.

¿El novio equivocado?

¡YA EN TU PUNTO DE V

Bianca™

Pasó una noche perfecta con un desconocido... que resultó ser su nuevo jefe

Ross Dalgowan se enfureció cuando descubrió que la mujer con la que había compartido una apasionada noche de amor estaba casada.

Pero la verdad era que Cathy estaba divorciada. Sólo trataba de ayudar a su hermano haciéndose pasar por su esposa. Y eso la llevó a meterse en un lío, dado que el atractivo desconocido con el que había pasado una noche maravillosa era su nuevo jefe.

Cuando Ross descubrió la verdad, decidió hacerle pagar caro a Cathy su engaño... en el trabajo y en el dormitorio.

Un jefe engañado

Lee Wilkinson

¡YA EN TU PUNTO DE VENTA!

JUL -- 2011

Deseo™

Un príncipe en la ciudad

Jennifer Lewis

Sebastian Stone, príncipe heredero, empresario millonario y soltero viajero necesitaba que su secretaria, Tessa Banks, le organizara la vida, y ella lo hacía con facilidad desde su despacho de Manhattan. Por eso, cuando Tessa anunció que se iba, Sebastian recurrió a su mejor arma: la seducción.

La encandiló con joyas y flores en su palacio bañado por el sol y le regaló placeres sensuales que hicieron las delicias de Tessa. Pero cuando terminaron las dos semanas de aviso, Sebastian descubrió que su plan había fracasado: se había enamorado de una mujer que nunca se casaría con él.

Escándalo: ¡seducir a una plebeya!

¡YA EN TU PUNTO DE VENTA!